KU-169-201

LE GRAND LIVRE DES ÉNIGMES

EINSTEIN

$E=mc^2$

Toutes les photos et illustrations de ce livre sont reproduites ici avec l'aimable autorisation d'Alamy, de Bridgeman Images, de Dover Books, de Getty Images, de la NASA, du National Portrait Gallery de Londres, de Shutterstock.com et de Thinkstock.com.

Publié en 2015 en Grande-Bretagne
par Carlton Books Limited
20 Mortimer Street – Londres WIT 3JW

Traduction : Catherine Bricout

Imprimé en Espagne.
ISBN 978-2-501-10531-6
15.4457.0

Tim Depulos

LE GRAND LIVRE DES ÉNIGMES EINSTEIN

$E=mc^2$

Pénétrez le cerveau du plus célèbre physicien de tous les temps !

MARABOUT

SOMMAIRE

CHAPITRE 1

CHAPITRE 2

CHAPITRE 3

CHAPITRE 4

CHAPITRE 5

INTRODUCTION

Albert Einstein est le génie déterminant du XXe siècle. Nous avons le souvenir d'un savant stupéfiant d'inventivité et d'un individu échevelé aux tenues excentriques. Nous avons tendance à oublier d'autres remarquables activités – en tant que farouche adversaire du racisme, qui marcha pour les droits des Afro-Américains, fervent amoureux de la paix qui sauva des milliers de personnes des pogroms nazis, violoniste talentueux, et célébrité influente dans le démarrage de l'ère nucléaire.

Quand le magazine *Time* le sélectionna comme Personne du Siècle en 1999, ce n'était qu'une reconnaissance méritée de son impact sur notre monde. Au cours de sa vie, il révolutionna notre compréhension de l'Univers et permit l'avènement de la plupart des technologies dont dépend la modernité.

Tout ceci pose un problème à l'auteur de cet ouvrage. En créant les énigmes pour ce livre, j'ai essayé de sélectionner des problèmes auxquels Einstein aurait pu trouver une quelconque valeur, ou qui auraient reflété ses intérêts et ses inclinations. Parallèlement, j'ai essayé de ne pas transformer sa vie en diaporama mièvre, aussi j'ai résisté à la tentation de truffer sa biographie d'énigmes.

Je ne me permettrais jamais de parler à la place du grand homme, mais si ce livre vous aide à réfléchir, ne serait-ce qu'un peu, à la nature du monde et de l'Univers dans lesquels nous vivons, je serais comblé. De cela et de votre plaisir, bien entendu.

Tim Depulos
Londres, 2015

CHAPITRE 1

« Vous voyez, le télégraphe avec fil est une sorte de chat très, très long. Vous placez sa queue à New York et sa tête miaule à Los Angeles. Vous comprenez ? Et la radio fonctionne exactement de la même façon : vous envoyez le signal d'ici, ils le reçoivent là-bas. La seule différence est qu'il n'y a pas de chat. »

ALBERT EINSTEIN

1

CORPS EN MOUVEMENT

Nous sommes accoutumés à l'idée qu'il est possible d'être assis tranquillement et de passer du temps dans l'immobilité. Mais cette planète stupéfiante qui est la nôtre est loin d'être statique. Nous fonçons en permanence à travers les profondeurs de l'espace à des vitesses sidérantes.

On pourrait penser, de façon superficielle, que du point de vue du Soleil, toute la population terrestre se déplace à la même vitesse. Après tout, notre planète tourne autour de lui à une vitesse constante de 30 km/s – dans le sens antihoraire, si nous l'observons du dessus du pôle Nord. Il y a toutefois un autre facteur à prendre en compte. La Terre tourne sur son axe en même temps qu'autour du Soleil, à une vitesse de 28 km/min si l'on se trouve à l'équateur.

Vous savez évidemment que, de la surface de la planète, le Soleil semble se lever à l'est. Donc, vous déplacez-vous plus rapidement de jour ou de nuit ?

Solution page 160

2

ABSOLUMENT RIEN

Il est tentant, et même apaisant, de voir les mathématiques comme un édifice parfait de logique et d'ordre. À la vérité, il s'agit autant d'un art que d'une science et, dans certains cas, son absolutisme vole en éclats.

Dans cet exemple, nous allons démontrer que 0 = 1. Tout d'abord, je dois signaler que, quand on additionne une série de nombres, la loi associative dit que vous pouvez placer les parenthèses à votre guise sans aucun effet sur le résultat.
1 + 2 + 3 = 1 + (2 + 3) = (1 + 2) + 3.

Ceci établi, additionnez maintenant un nombre infini de zéros. Peu importe le rien que vous accumulez, vous obtiendrez toujours du rien.
0 = 0 + 0 + 0 + 0 + 0 +...

Puisque 1-1 = 0, vous pouvez remplacer chaque zéro dans votre addition ainsi :
0 = (1-1) + (1-1) + (1-1) + (1-1) + (1-1) +...

D'après la loi associative, vous pouvez disposer les parenthèses comme bon vous semble. Ce qui signifie que :
0 = 1 + (-1+1) + (-1+1) + (-1+1) + (-1+1) + (-1+1) +...

Cependant, comme il a été établi, (-1+1) = 0, donc cette séquence peut être ainsi formulée :
0 = 1 + 0 + 0 + 0 + 0 + 0 +...

Ou, pour plus de simplicité :

0 = 1.

Il est clair que quelque chose est incorrect. Mais quoi ?

Solution page 160

3

UN EXERCICE DE LOGIQUE

Le mathématicien et écrivain anglais Lewis Carroll a conçu une série d'excellents problèmes logiques destinés à illustrer et mettre à l'épreuve le raisonnement déductif. Vous pouvez partir du principe – pour la durée de ce problème – qu'ils sont absolument justes en tous points. À partir de là, vous devriez pouvoir répondre aux questions qui suivent.

Je déteste les choses qui ne peuvent être utilisées comme pont.

Les nuages crépusculaires ne peuvent supporter mon poids.

Les seuls sujets de poèmes que j'apprécie sont des choses que je recevrais avec plaisir comme cadeau.

Tout ce qui peut être utilisé comme pont est capable de porter mon poids.

Je n'accepterais pas en cadeau quelque chose que je déteste.

Est-ce que j'apprécierais un poème sur le thème des nuages crépusculaires ?

Solution page 161

4

SUBMERSIBLE

La conduite d'un sous-marin est source de multiples préoccupations majeures, en temps de paix comme en temps de guerre. L'une des plus importantes pour le capitaine est de ne pas laisser son navire s'échouer sur le fond océanique, ne serait-ce qu'un instant. Une telle circonstance pourrait s'avérer mortelle pour la totalité de l'équipage.

Savez-vous pourquoi ?

Solution page 161

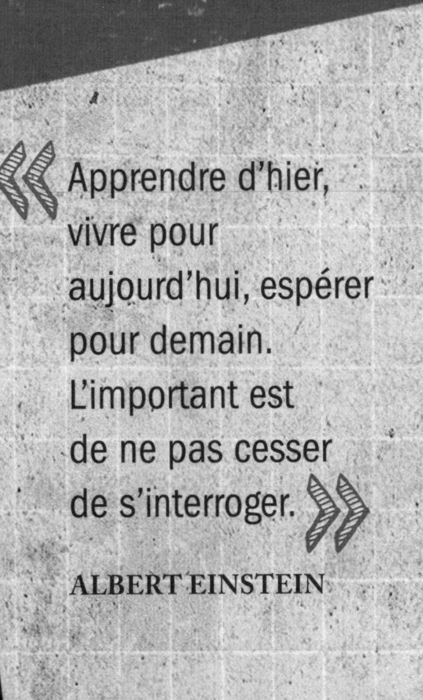

5

QUARANTE-HUIT

De nombreux nombres, notamment dans les rangs inférieurs, sont dignes d'un intérêt particulier. Le nombre 48 est particulièrement intéressant dans le domaine des nombres carrés. Si vous ajoutez 1, vous obtenez un nombre carré [48 + 1 = 49 = 7 x 7] ; si vous le divisez par deux et ajoutez 1 au résultat, vous obtenez un autre nombre carré [(48/2 = 24) + 1 = 25 = 5 x 5]. Pris séparément, les deux cas sont courants, mais réunis ainsi, ils le sont beaucoup moins.

En fait, 48 est le plus petit nombre qui satisfait les deux conditions. Pouvez-vous trouver quel est le plus petit nombre suivant qui présente la même caractéristique ?

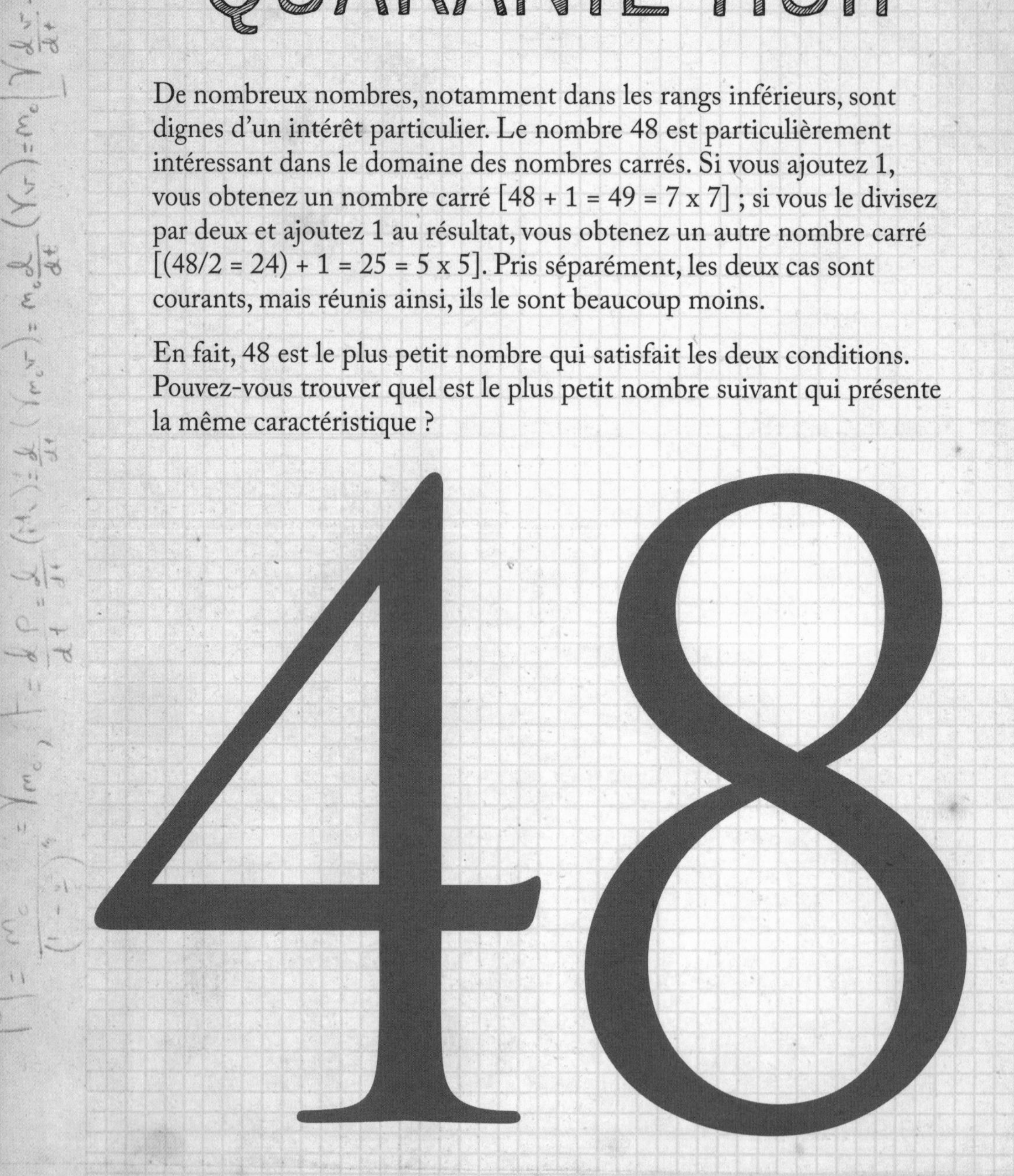

Solution page 162

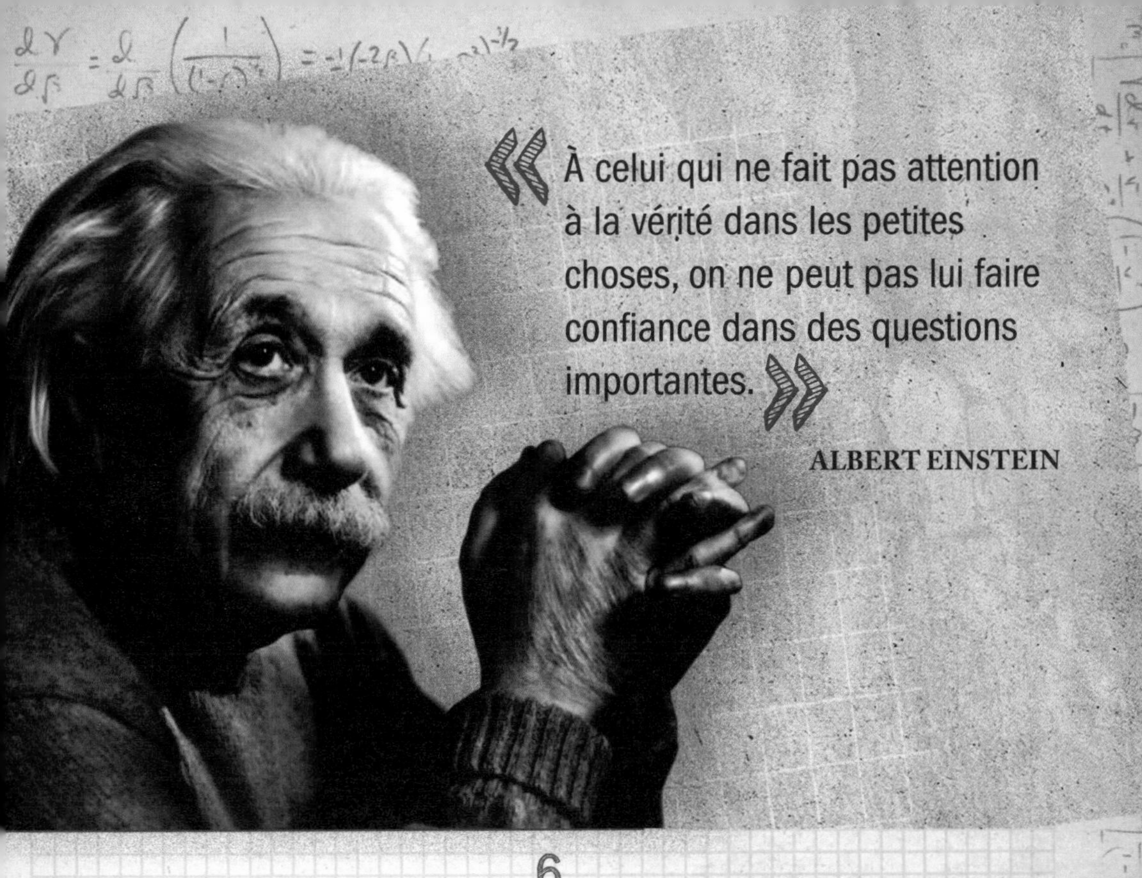

6

CITATION EN DÉSORDRE

Cette énigme contient une citation célèbre. Les mots de chaque ligne sont dans le bon ordre, mais toutes les ponctuations ont été supprimées, et les lignes elles-mêmes ont été mélangées.

Saurez-vous remettre la citation dans l'ordre ?

UNE HEURE C'EST LA RELATIVITÉ
UNE SECONDE QUAND
JEUNE FILLE UNE HEURE VOUS PARAÎT
DES BRAISES UNE SECONDE VOUS PARAÎT
QUAND VOUS COURTISEZ UNE
VOUS ÊTES ASSIS SUR
ALBERT EINSTEIN

Solution page 162

7

DEUX SEAUX

Imaginez que vous soyez en possession de deux seaux d'eau. Ces seaux sont identiques à tous égards, à un détail près : dans l'un flotte un morceau de bois, dans l'autre non. Hormis cette différence, les deux sont remplis exactement jusqu'au rebord d'eau fraîchement distillée.

Lequel des deux seaux est-il le plus lourd ?

Solution page 163

$$\frac{d\gamma}{d\beta} = \frac{d}{d\beta}\left(\frac{1}{(1-\beta^2)^{1/2}}\right) = \frac{-1}{2}(-2\beta)(1-\beta^2)^{-3/2} = \beta(1-\beta^2)^{-3/2} \therefore F = m_0\left[\gamma\frac{dv}{dt} + v\frac{d\gamma}{dt}\right]$$

8

LE FUNAMBULE

La maîtrise du funambulisme exige un niveau extraordinaire de compétence, de persévérance et d'entraînement physique. Néanmoins, quand vous voyez un athlète d'une telle virtuosité se déplacer au-dessus d'un vide vertigineux, armé seulement d'une longue barre flexible, rappelez-vous que l'exploit est peut-être moins follement dangereux qu'il le semble. Pouvez-vous dire pourquoi ?

Solution page 163

9

TEXTE CRYPTÉ

Dans cette énigme, le jeu consiste à déchiffrer une citation rendue sibylline par un simple code. Pouvez-vous découvrir le contenu du texte ?

```
UNETR EHUMA INFAI TPART IEDUN TOUTQ UENOU
SAPPE LONSU NIVERS UNEPA RTIEL IMITE EDANS
LESPA CEETL ETEMP SILFA ITLEX PERIE NCEDE
SONET REDES ESPEN SEESE TDESE SSENS ATION
SCOMM EETAN TSEPA RESDU RESTE  UNESO RTEDI
LLUSI ONDOP TIQUE DESAC ONSCI ENCEC ETTEI
LLUSI ONEST POURN OUSUN EPRIS ONNOU SREST
REIGN ANTAN OSDES IRSPE RSONN ELSET AUNEA
FFECT IONRE SERVE EANOS PROCHE SNOTR ETACH
EESTD ENOUS LIBER ERDEC ETTEP RISON ENELA
RGISS ANTLE CERCL EDENO TRECO MPASS IONAF
INQUI LEMBR ASSET OUSLE SETRE SVIVA NTSET
LANAT UREEN TIERE DANSS ASPLE NDEUR ALBER
TEINS TEINUN
```

Solution page 164

10

LE JEU DE FIBONACCI

Ce jeu de société mathématique a été conçu par un mathématicien italien du XIIIe siècle, Leonardo Pisano, mieux connu sous le nom de Fibonacci. Ses travaux sur les systèmes mathématiques ont participé à l'essor de la Renaissance, mais notre sujet est moins sérieux.

Deux à neuf personnes s'assoient en ligne et désignent secrètement l'une d'entre elles. Cette personne choisit une phalange d'un doigt d'une de ses mains, soit à l'endroit où elle porte une bague, soit à l'endroit où elle souhaiterait en porter une. Le volontaire prend alors sa position dans la ligne, la multiplie par deux, ajoute 5, multiplie par 5, puis ajoute 10 à ce total. Puis on compte le nombre correspondant au doigt qui porte l'anneau dans les deux mains et on l'ajoute (le petit doigt de la main gauche étant le 1) et le résultat est multiplié par 10. Enfin, on ajoute un nombre pour la phalange, 1 pour la phalange la plus proche de la main, 3 pour la phalange la plus éloignée. On obtient ainsi le total final.

« Quand ce nombre est annoncé, dit Fibonacci, il est facile de désigner la bague. » Voyez-vous comment ?

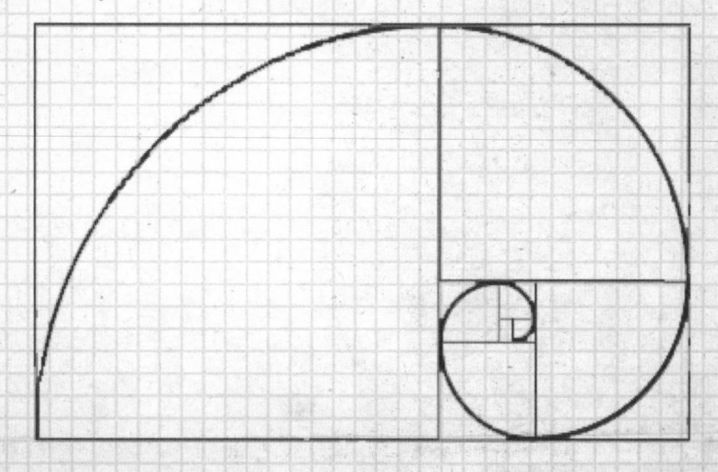

Solution page 165

11

CURIEUSE IDÉE

Certains prétendent que le comble du luxe serait de construire une maison dotée de fenêtres orientées au sud sur ses quatre côtés.

Cette proposition semble-t-elle raisonnable ?

Solution page 165

12

ÉTALON-OR

La question peut sembler risible au premier abord. Mais je vous assure que je n'ai pas l'intention de me moquer de vous. La simplicité n'est pas toujours synonyme de futilité.

Qu'est-ce qui est le plus lourd : un bloc de 1 tonne de bois ou un bloc de 1 tonne d'or ?

Partez du principe que les deux blocs sont pesés sur la même machine, dans le même lieu terrestre et que la machine donne la même valeur dans les deux cas.

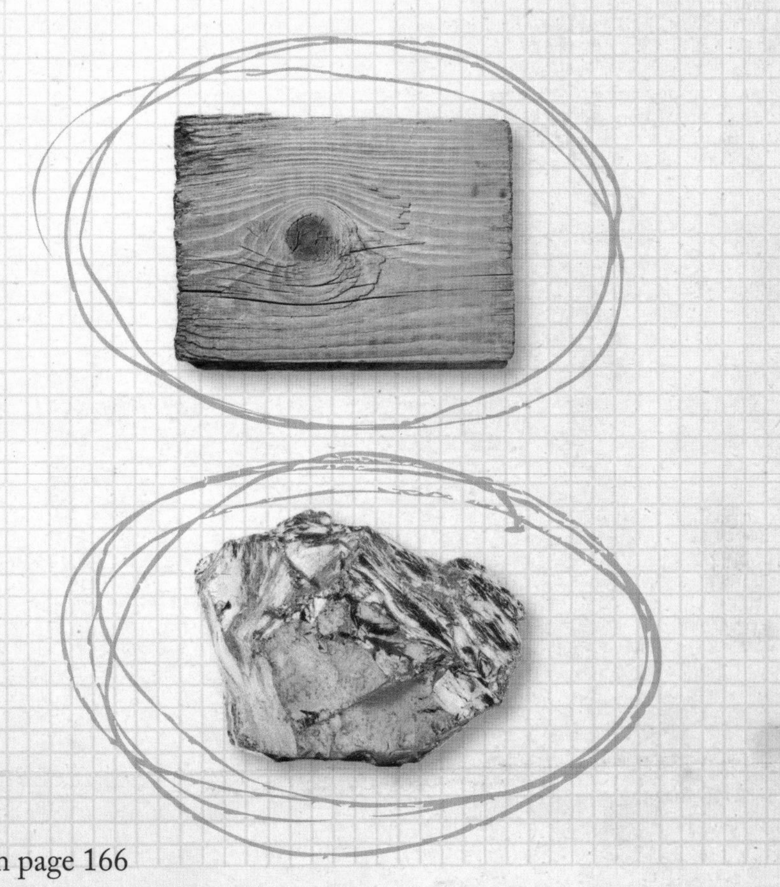

Solution page 166

13

DANS UN TOURBILLON

Grâce aux travaux de Copernic, Galilée et bien d'autres, nous savons que le jour se lève parce que la Terre tourne sur son axe alors que le Soleil reste (apparemment) immobile. Mais il n'est pas toujours sage de croire aveuglément ce qu'on vous dit.

Il serait assez simple de mener une expérience qui prouverait que la Terre tourne sur son axe. Il ne serait même pas nécessaire de quitter la surface de la planète.

Avez-vous une idée ?

Solution page 167

14

LOGIQUE SCIENTIFIQUE

Pour cette épreuve, aucune connaissance des lois de l'Univers n'est nécessaire. Seule votre capacité à penser logiquement sera testée.

Cinq scientifiques de diverses universités de l'Ivy League sont engagées dans un programme spatial de pointe. À partir des informations fournies, pouvez-vous dire dans quelle ville habite la scientifique irlandaise ?

La scientifique de New Haven étudie l'astrophysique et elle n'est pas l'Américaine, qui est prénommée Emily. La scientifique britannique vit à Cambridge, et ce n'est ni Marianne, ni Sophie. La spécialiste de la physique ne s'appelle pas Jennifer ou Alice. Providence est la ville de la scientifique qui étudie les métamatériaux. Hanovre n'est pas la ville de la scientifique canadienne. Alice, une Australienne, n'étudie pas l'astrophysique. Marianne étudie la biochimie et n'est pas irlandaise. L'une des scientifiques étudie la nanotechnologie. L'une des scientifiques vit à New York.

Nom	Nationalité	Ville	Spécialité

Solution page 168

15

UNE EXPÉRIENCE

Passons maintenant à une petite expérience pratique – à laquelle, cher lecteur, vous pourrez prendre part sans effort excessif. Expirez lentement et régulièrement sur la paume de votre main. Notez mentalement ce que vous sentez. Maintenant, pincez les lèvres et soufflez vigoureusement sur votre paume, ou sur celle de l'autre main, si vous préférez.

Vous observerez que quand vous respirez lentement, l'air vous semble chaud, mais quand vous soufflez fort, l'air semble froid.

La température de votre souffle n'a pas changé, ni celle de votre main. Pourquoi y a-t-il une différence ?

Solution page 168

« Le vrai signe de l'intelligence n'est pas la connaissance, mais l'imagination. »

ALBERT EINSTEIN

16

UN PEU DE CIRAGE

Vous avez certainement remarqué que les parquets cirés sont beaucoup plus glissants que les parquets bruts (ou couverts de moutons). Ne devrait-il pas en découler que la glace lisse est plus glissante que la glace bosselée ? Si vous avez l'occasion de tirer une luge, vous découvrirez qu'elle se déplace beaucoup plus facilement sur une glace irrégulière que sur une glace lisse. Vous avez aussi peut-être observé qu'il est plus difficile de marcher sur une glace rugueuse que sur une glace luisante.

Quelle en est la raison d'après vous ?

Solution page 169

17

MATHS TRIBALES

Au cours du XIXe siècle, un colonel européen en poste en Éthiopie fit le compte-rendu d'une rencontre avec une tribu locale à laquelle il achetait du bétail. Il voulait sept bêtes à un prix unitaire de 22 birs. Le berger ne savait pas compter et fit appel au prêtre local pour vérifier le prix total.

Le prêtre creusa deux rangées parallèles de trous. La rangée de droite représentait le prix d'achat. Dans le premier trou, il plaça 22 pierres, puis divisa le nombre de pierres dans chaque trou suivant, en arrondissant : 22, 11, 5, 2 et 1 pierres. La rangée de gauche représentait le bétail et dans le premier trou il plaça 7 petites pierres. Puis il doubla le nombre de pierres dans chaque trou suivant de la rangée : 7, 14, 28, 56 et 112 pierres.

Après avoir déclaré que les valeurs paires étaient malfaisantes, il descendit le long de la rangée de droite et, à chaque fois qu'il rencontra un nombre pair de pierres – les trous 22 et 2 en l'occurrence –, il retira les pierres du trou et du trou voisin dans la rangée de gauche. Pour terminer, il réunit les pierres restant dans la rangée de gauche – 14, 28 et 112 respectivement – en pile et les compta une à une. Il obtint un total de 154 birs, ce qui est effectivement 22 x 7.

Cette technique de multiplication fonctionne toujours pour les nombres entiers. Mais pourquoi ?

Solution page 169

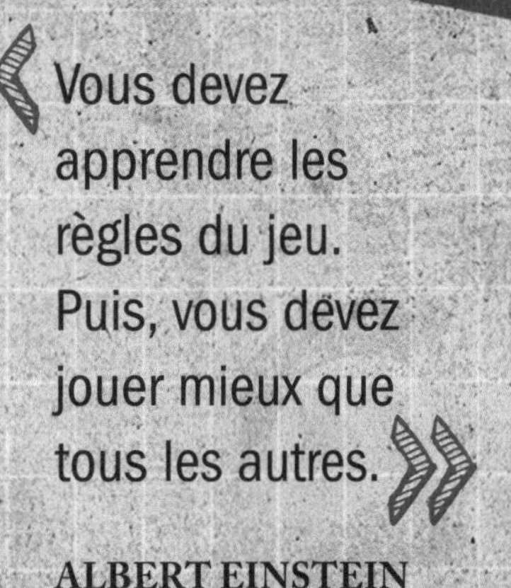

« Vous devez apprendre les règles du jeu. Puis, vous devez jouer mieux que tous les autres. »

ALBERT EINSTEIN

18

PROBLÈME DE FENÊTRE

Imaginez une fenêtre carrée, de 1,50 m de haut, posée dans un mur opaque. Cette fenêtre laisse entrer une certaine quantité de lumière de l'extérieur. Simple.

Il est possible de modifier la fenêtre pour obtenir précisément la moitié de cette lumière, sans modifier le type de verre, ni placer un rideau, un filtre, un store ou aucune sorte d'obstruction sur la fenêtre ou entre la fenêtre et le spectateur – tout en gardant la fenêtre carrée et de 1,50 m de haut. Pas si simple. Pouvez-vous dire comment ?

Solution page 170

CITATION EN DÉSORDRE

Les mots de chaque ligne sont dans le bon ordre, mais toutes les ponctuations ont été supprimées, et les lignes ont été mélangées.

Saurez-vous remettre la citation dans l'ordre ?

UN POISSON SUR SES
ALBERT EINSTEIN
QU'IL EST STUPIDE
CAPACITÉS À GRIMPER À UN ARBRE
IL PASSERA TOUTE
TOUT LE MONDE EST UN GÉNIE
MAIS SI VOUS JUGEZ
SA VIE À CROIRE

Solution page 170

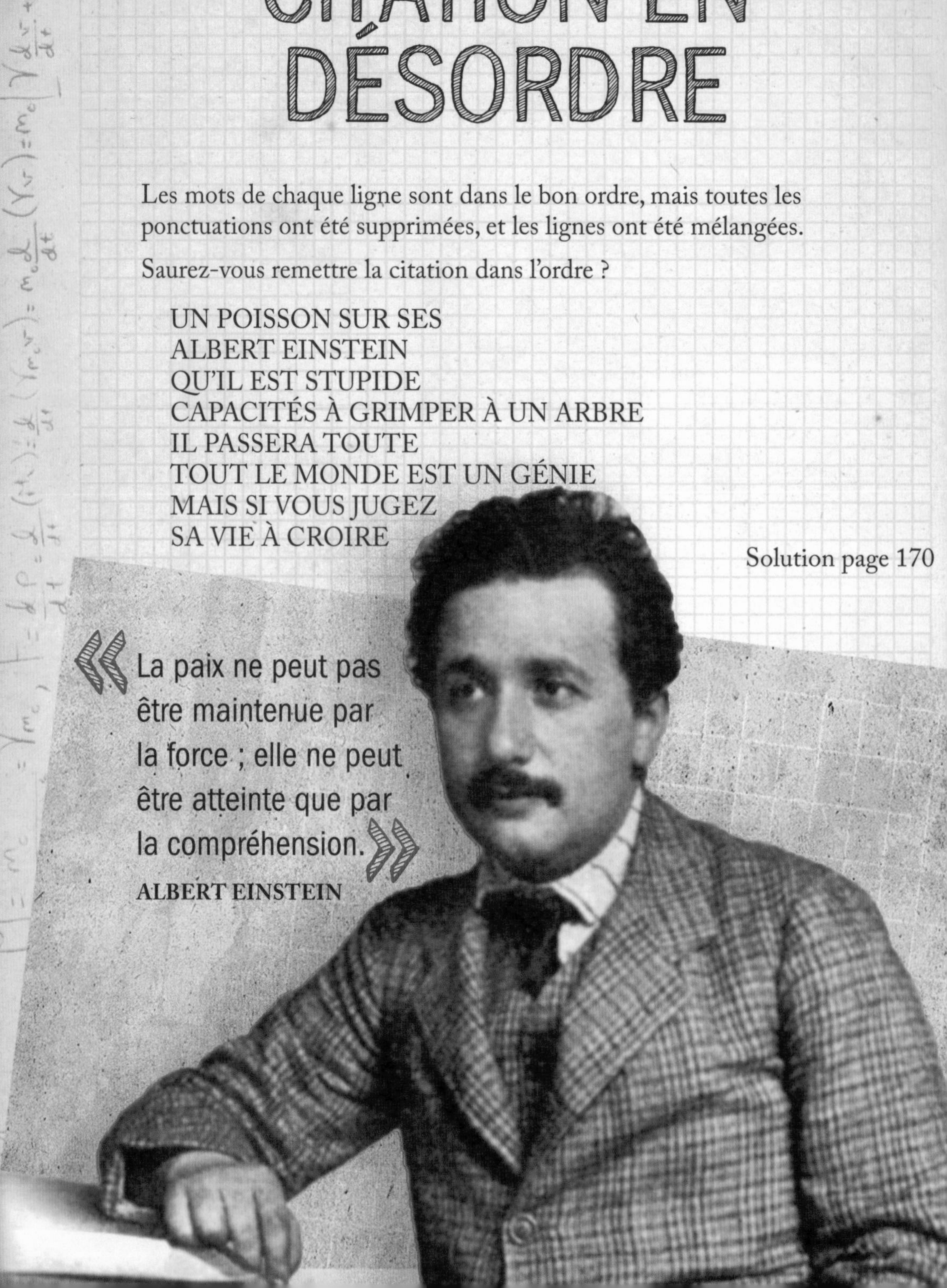

« La paix ne peut pas être maintenue par la force ; elle ne peut être atteinte que par la compréhension. »

ALBERT EINSTEIN

20

TEXTE CRYPTÉ

Dans cette énigme, le jeu consiste à déchiffrer une citation rendue sibylline par un simple code. Pouvez-vous découvrir le contenu du texte ?

TJ WPVT WPVMFA RVF WPT FNGBOUT TPKFOU JOUFMMJHFOUT MJTFAMFVS EFT DPOUFT EF GFFT TJ WPVT WPVMFA RVJMT TPKFOU QMVT JOUFMMJHFOUT MJTFAMFVS QMVT EF DPOUFT EF GFFT

Solution page 171

21

MONDES INFINIS

Les mathématiques de l'infini peuvent être d'une beauté surprenante. Elles peuvent être aussi simplement surprenantes.

Prenez les nombres naturels 1, 2, 3, 4, etc. Ils sont infinis ; quel que soit le nombre que vous imaginez, il peut être augmenté. Maintenant, prenez les nombres naturels pairs 2, 4, 6, 8, etc. De toute évidence, ils peuvent également augmenter à l'infini.

Donc, si vous comparez la série de tous les nombres naturels avec la série de tous les nombres naturels pairs, laquelle est la plus grande ?

Solution page 171

22

LEVER DE SOLEIL

Bien que nous soyons éloignés du Soleil de 149 600 000 km, la lumière voyage si rapidement qu'elle atteint la Terre en 8 minutes. Pour vous donner une idée de l'immensité du système solaire, sachez que la lumière du Soleil atteint Jupiter en 43 minutes et presque 7 heures pour atteindre ce pauvre Pluton. Mais revenons à notre planète.

Pour le raisonnement, partons du principe que, à l'endroit où vous vous trouvez actuellement, le Soleil se lèvera demain à 6 heures précises. Peut-être l'ouverture d'un portail merveilleux réduira le trajet de la lumière à moins d'une seconde. Le mécanisme précis importe peu. L'important est que la durée du trajet de la lumière passe de 8 minutes à une fraction de seconde, sans aucun effet néfaste sur nous.

À quelle heure pouvez-vous prévoir le lever du Soleil demain ?

Solution page 172

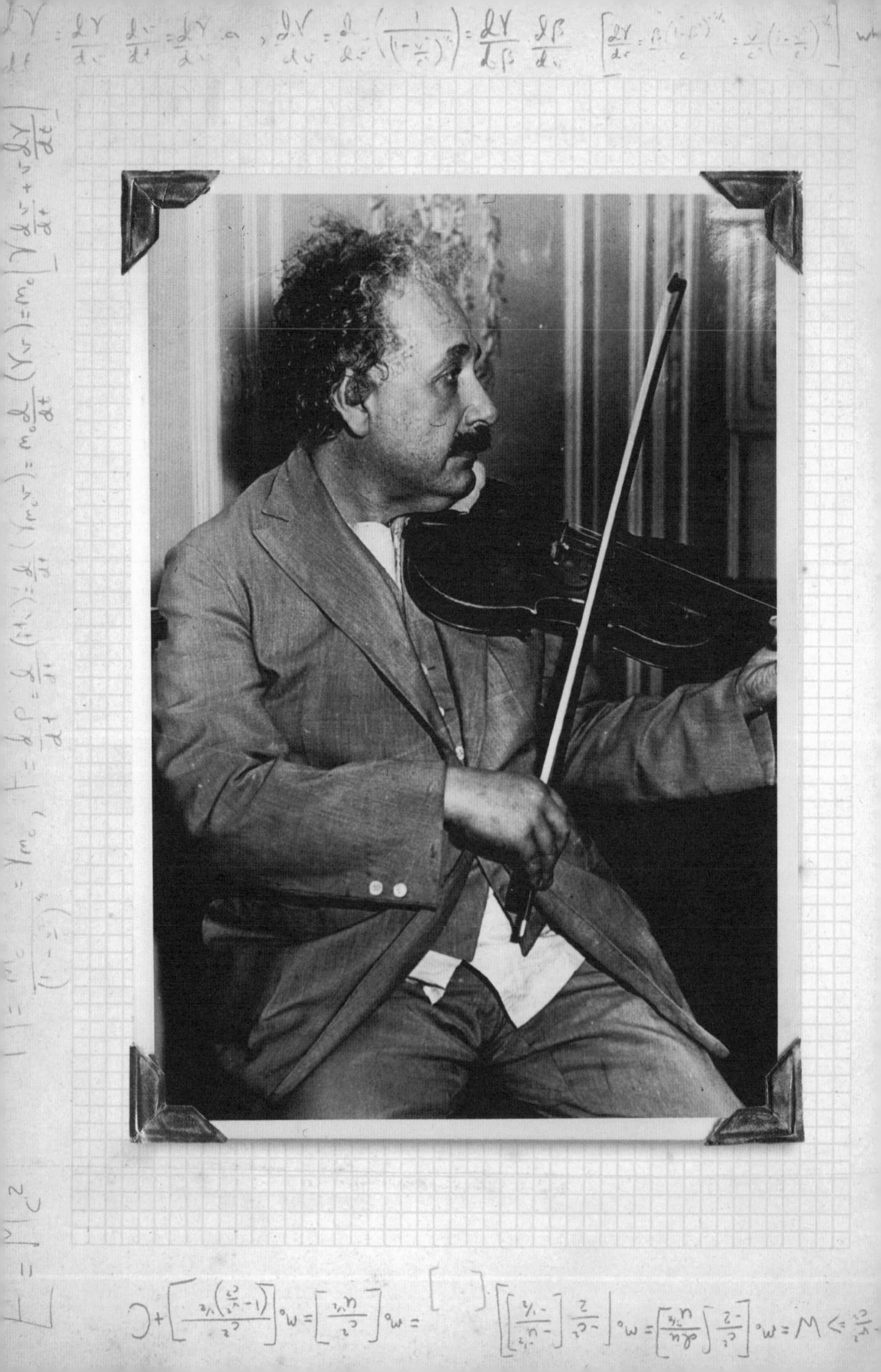

23

ÉNIGME DU CAFÉ

Seule votre capacité de réflexion logique sera mise à l'épreuve ici.

Cinq amis sont dans un café et discutent de leurs goûts musicaux. À partir des informations fournies ci-dessous, pouvez-vous trouver le nom du buveur d'expresso ?

Steve boit du chocolat, mais n'est pas la personne qui aime le rock, qui porte du rouge. Le buveur de café au lait porte du noir et n'aime pas la musique pop ou la musique classique. Une personne porte du vert. Bruce ne boit pas de cappuccino. Megan ne boit pas de cappuccino non plus et elle n'aime pas le rock. C'est le fan de country qui boit du thé et il ne porte pas de crème. Diana aime l'électro. Joan porte du bleu et n'aime pas la musique country ou la musique classique.

Nom	Boisson	Musique	Couleur

Solution page 172

CHAPITRE 2

« Je crois en l'intuition et l'inspiration. L'imagination est plus importante que la connaissance. Car la connaissance est limitée alors que l'imagination englobe le monde entier, stimule le progrès, suscite l'évolution. Elle est, à proprement parler, un vrai facteur de recherche scientifique. »

ALBERT EINSTEIN

24

MIROIR, MIROIR

Les miroirs sont des accessoires de la vie quotidienne pratiquement inévitables. Pour la plupart d'entre nous, ils sont indispensables. Donc pour un objet si simple, une question simple.

Une surface de miroir parfaitement propre est-elle visible ?

Solution page 176

25

LES HUIT REINES

Max Bezzel, un maître d'échecs allemand, fut le premier à poser la question en 1948. Elle a fourni matière à de nombreuses discussions depuis.

Une reine attaque dans huit directions – lignes droites verticales, horizontales et diagonales. Sa question était de savoir s'il était possible de placer huit reines sur un échiquier classique de 8 x 8 cases, de façon qu'aucune ne puisse attaquer aucune autre.

Saurez-vous trouver la réponse ?

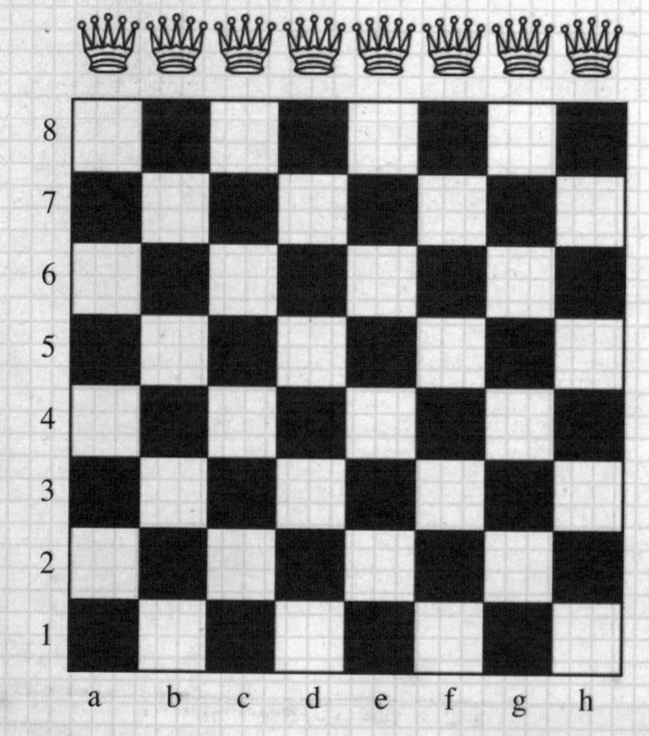

Solution page 177

26

ABSOLUMENT VRAI

Plusieurs affirmations sont énoncées ci-dessous. Vous pouvez partir du principe – pour la résolution de ce problème – qu'elles sont absolument vraies. À partir de ces informations, vous devriez être en mesure de répondre à la question qui suit.

Les animaux qui ne donnent pas de coups de pied sont toujours placides.

Les ânes n'ont pas de cornes.

Un buffle peut toujours vous renverser par-dessus une barrière.

Aucun animal qui donne des coups de pieds n'est facile à caresser.

Aucun animal qui n'a pas de cornes ne peut vous renverser par-dessus une barrière.

Seuls les buffles sont placides.

Les ânes sont-ils faciles à caresser ?

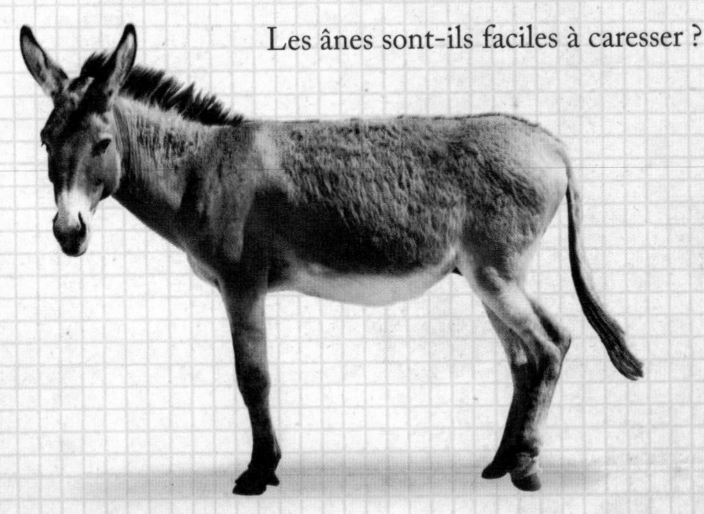

Solution page 178

27

ASCENSEUR

On pense que le premier monte-charge fut l'invention d'Archimède, au IIIe siècle av. J.-C. Il s'agissait d'une cabine rudimentaire soutenue par une corde de chanvre et actionnée par la force d'hommes ou d'animaux. Il faudra attendre 1852 pour qu'Elisha Otis invente son ascenseur sécurisé, conçu pour être bloqué par des guides dentés placés sur le mur si jamais il commençait à se déplacer trop vite. Il fait une démonstration au Crystal Palace en 1853, sur une plate-forme ouverte au-dessus d'une scène, fixée entre deux poutrelles dentées.

Les ascenseurs les plus modernes sont issus de sa création, mais contrairement à la démonstration d'Otis, ils sont installés dans des cages. Bien que ce soit essentiellement pour des raisons de praticité, quel avantage de sécurité une cage offre-t-elle que n'offre pas une cabine sécurisée ?

Solution page 178

28

UNE QUESTION DE DÉPLACEMENT

Il est heureusement clair qu'un bateau flottant déplace un volume d'eau et que le poids du bateau est égal au poids de l'eau qu'il déplace. Il est donc évident qu'un bateau placé dans un réservoir d'eau fera monter le niveau de l'eau. Il s'ensuit par conséquent que si vous placez un lest en plomb dans le bateau, le niveau de l'eau montera davantage.

Donc, que se passera-t-il si vous jetez ce lest en plomb par-dessus bord, dans l'eau ? Le niveau de l'eau montera-t-il, baissera-t-il ou restera-t-il stable ?

Solution page 179

29

IMITATION DE LA RÉALITÉ

Le cinéma est une distraction merveilleuse, mais il ne faut jamais oublier qu'il offre une imitation de la réalité, et non un modèle fiable. Il en existe de multiples exemples, mais choisissons l'un des plus simples.

Il est relativement courant, dans les films, de voir un malheureux tomber d'une falaise ou d'un immeuble très haut. Ce sort est invariablement accompagné d'un long hurlement de terreur qui faiblit régulièrement au fil de la chute de la victime. Quelle est l'erreur régulièrement commise dans cet effet sonore ?

Solution page 180

30

ÉPREUVE DE LOGIQUE

Pour cette épreuve, aucune connaissance des lois de l'Univers n'est demandée. Seule votre capacité à penser logiquement sera testée.

Des représentants de commerce sont bloqués dans un aéroport, chacun en chemin pour une réunion d'affaires. À partir des informations ci-dessous, pouvez-vous dire quels produits vend la société Power Projects ?

C.A.F. est basée soit en Hollande soit au Portugal et son représentant se rend à Francfort ou à Paris. Le représentant de Power Projects se rend à Barcelone ou à Prague. La société belge vend du matériel graphique ou robotique. La société de caméras est soit Tek Trex soit 3rd Eye, et elle est soit portugaise soit belge. La société qui vend des équipements de protection envoie un représentant à Prague ou à Francfort. Le représentant qui se rend à Glasgow vend de la robotique ou de la maroquinerie. Le représentant de Karma se rend à Barcelone ou à Francfort, est basé au Portugal ou en Italie et vend soit des équipements de protection soit du matériel graphique. Le représentant de 3rd Eye se rend à Glasgow ou Francfort et vend des caméras ou des équipements de protection. Une des sociétés est basée au Danemark.

Société	Origine	Destination	Produits

Solution page 181

31

CONFORTABLEMENT ASSIS

Essayez de vous asseoir droit sur une chaise, le dos et les mollets verticaux et les cuisses horizontales. Vous constaterez qu'il vous est impossible de vous lever sans bouger les pieds ou courber le torse en avant. N'hésitez pas à essayer. Vous ne vous lèverez qu'en reculant les pieds ou en inclinant la poitrine.

Pourquoi donc ?

Solution page 182

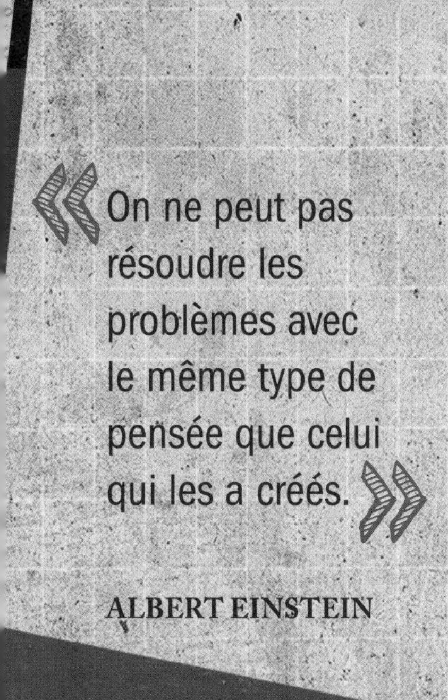

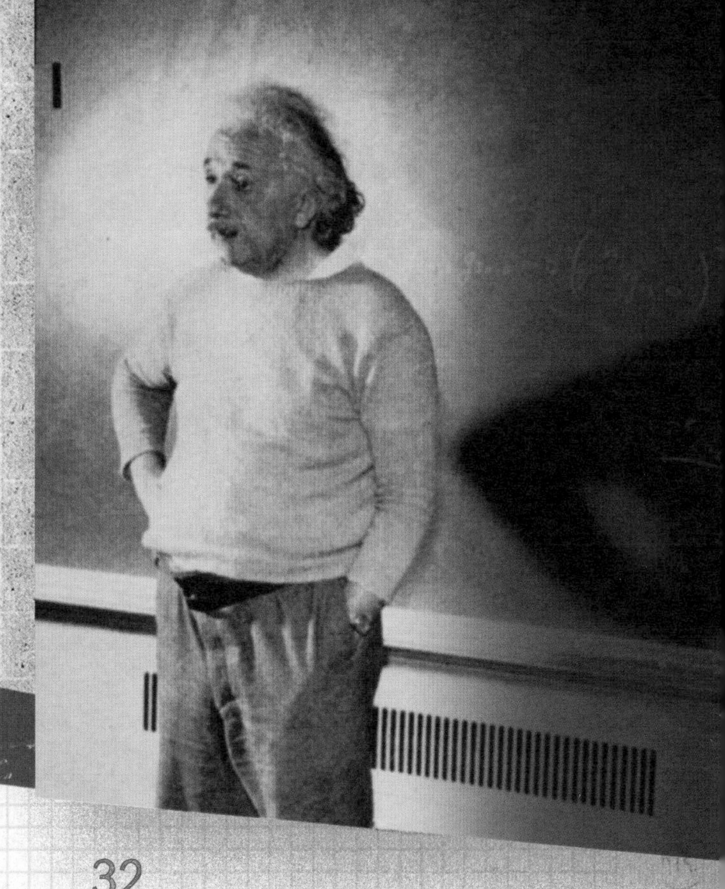

32

LE DOCTEUR AUX PIEDS NUS

Vous avez certainement marché pieds nus dans une maison froide à un moment ou un autre de votre vie. Si oui, vous avez probablement remarqué que, dans un tel cas, un sol moquetté paraît plus chaud aux pieds qu'un carrelage.

Il doit être clair que c'est le cas même quand il n'y a absolument aucune différence de température entre les divers revêtements de sol. Pourquoi percevons-nous donc une telle différence ?

Solution page 183

33

TEXTE CRYPTÉ

Dans cette énigme, le jeu consiste à déchiffrer une citation rendue sibylline par un simple code. Pouvez-vous découvrir le contenu du texte ?

NOISSERP ED SEDNOD NOITAIRAV ENU EMMO

C NEVOHTEEB ED EINOHPMYS ENU TIAVIRCED NOL I

S EMMOC NOITACIFINGIS SNAS NOITPIRCSED ENU TIARES E

C SNES NUCUA TIARUAN ALEC SIAM TNEMEUQIF

ITNEICS ESOHC ETUOT ERIRCED ED ELBI

SSOP TIARES LI

Solution page 183

34

REBOND

Ce problème peut demander un peu de réflexion.

Imaginez que vous ayez deux balles parfaitement élastiques, l'une beaucoup plus grosse et lourde que l'autre. Vous placez la balle la plus légère sur la plus lourde et les laissez tomber d'une distance de 30 cm sur un sol parfaitement rigide.

À quelle hauteur la balle la plus légère rebondira-t-elle ?

Il peut être utile de se rappeler la formule de l'énergie cinétique : (masse x (vitesse x vitesse)) / 2.

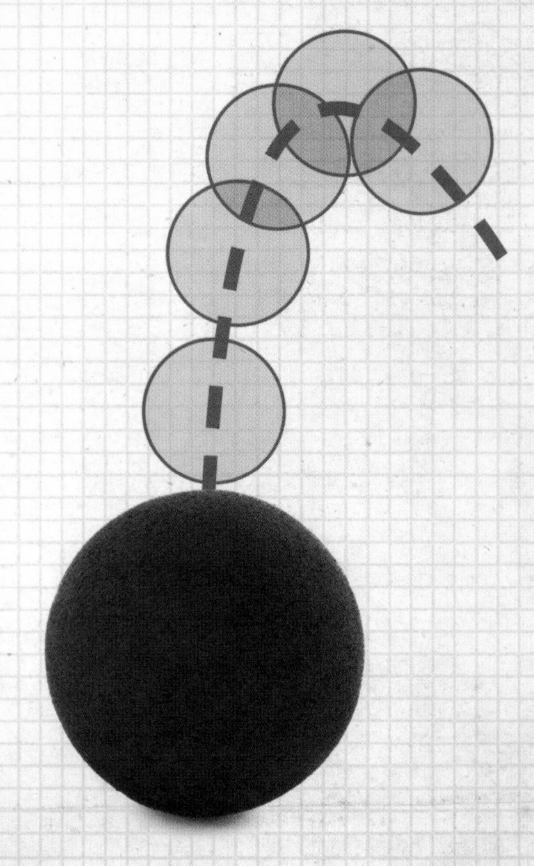

Solution page 184

35
LE PENDULE

Un pendule est une machine très simple, néanmoins extrêmement intéressante. Une paire de pendules identiques suspendus dans une cloche à vide se déplacera, assez naturellement, dans une parfaite synchronisation une fois mise en balancement. Si vous allongez la ficelle de l'un des deux pendules, il ralentira et tombera après l'autre. Et si vous raccourcissez la ficelle, il accélérera.

Que se passerait-il si vous gardiez des ficelles de même longueur et remplaciez l'un des poids par une bille de taille identique mais d'un matériau beaucoup plus léger ?

Solution page 185

36

TOUT EST JUSTE

Plusieurs affirmations sont énoncées ci-dessous. Vous pouvez partir du principe – pour la résolution de ce problème – qu'elles sont absolument vraies. À partir de ces informations, vous devriez être en mesure de répondre à la question qui suit.

Personne ne se rend à une fête sans se coiffer.

Les personnes négligées ne sont jamais intéressantes.

Les alcooliques n'ont aucun sang-froid.

Les personnes bien coiffées semblent intéressantes.

Personne ne porte des gants blancs, à moins d'aller à une fête.

Une personne est toujours négligée si elle manque de sang-froid.

Les alcooliques portent-ils des gants blancs ?

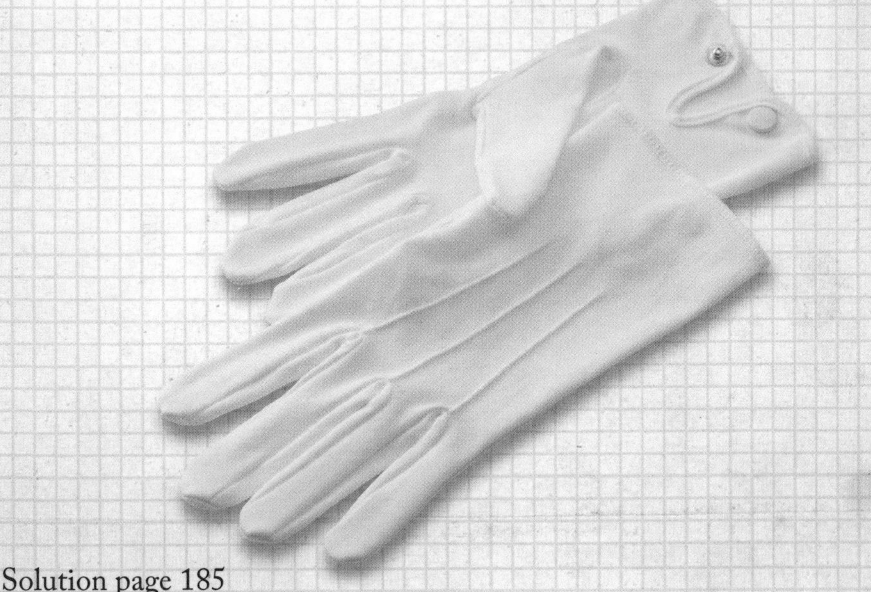

Solution page 185

37

PARADOXE DE FERMI

Le physicien de génie Enrico Fermi est célèbre aujourd'hui pour une question posée à des collègues lors d'un déjeuner enjoué au Laboratoire national de Los Alamos : « Où sont-ils ? »

Dans les centaines de trillions d'étoiles visibles de la Terre, il pourrait exister un grand nombre de civilisations extraterrestres, dont beaucoup dans notre galaxie. Le Soleil est une étoile relativement jeune ; il pourrait donc exister des civilisations âgées de milliards d'années, toujours dans notre galaxie. Pourquoi ne l'ont-elles pas complètement colonisée ? Pourquoi ne voyons-nous aucun signe de leurs activités ? Pourquoi ne sillonnent-elles pas les cieux tous les jours ?

Les penseurs religieux et les sceptiques ont trouvé dans le paradoxe de Fermi la preuve qu'il n'existait rien de tel qu'une vie extraterrestre. Cependant, le paradoxe est basé sur de nombreuses hypothèses dont n'importe laquelle pourrait être fausse. Fermi lui-même ne considérait la question que comme une base de discussion décontractée. Elle n'est certainement pas la preuve de la non-existence d'une vie extraterrestre.

Combien d'hypothèses infondées du Paradoxe pouvez-vous envisager ?

Solution page 186

« Il n'y a pas de différence entre les petits et les grands problèmes, la façon de traiter les gens est la même. »

ALBERT EINSTEIN

38
DÉBORDEMENT

Voici une autre expérience que vous pouvez facilement réaliser vous-même.

Emplissez d'eau à ras bord un verre à vin. Maintenant, munissez-vous d'aiguilles ou d'épingles. Placez-les délicatement dans le verre une à une : posez l'extrémité pointue dans l'eau et laissez l'aiguille tomber.

Le verre étant plein, combien d'aiguilles pensez-vous pouvoir ajouter sans que l'eau déborde ? Une ou deux ? Jusqu'à dix peut-être ? Pourquoi ?

Solution page 187

39
GRAVITÉ

Il peut être difficile de croire que le poids d'un objet ne crée aucune différence dans la vitesse à laquelle la gravité l'attire vers le sol. Cela ne relève pas de notre expérience habituelle. Nous pouvons rattraper une feuille de papier qui tombe, mais un mug empli de café est beaucoup plus difficile à préserver. En fait, la réalité est que la gravité agit sur chaque molécule d'un objet simultanément, donc l'importance de sa masse n'a pas d'importance. Chaque grain de substance subit la même accélération vers le bas.

Pouvez-vous imaginer une expérience ménagère simple pour prouver la vérité de cette affirmation ?

Solution page 188

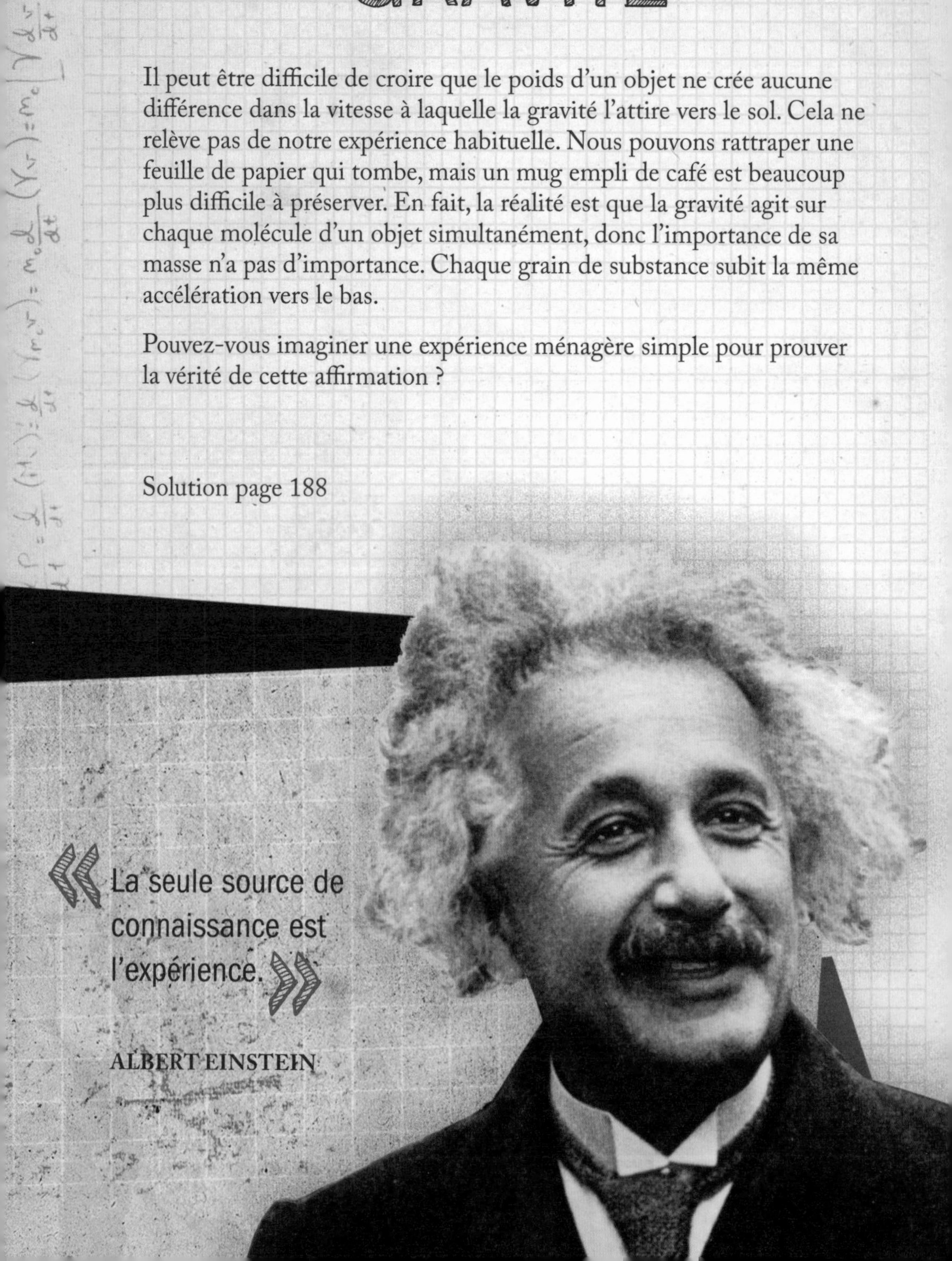

« La seule source de connaissance est l'expérience. »

ALBERT EINSTEIN

40

LE PRIX DE LA LOGIQUE

Saurez-vous démêler cette énigme ?

Un groupe d'amis commande au restaurant différents plats principaux et garnitures, et chaque repas a un coût différent. Pouvez-vous dire qui a commandé le repas le plus cher ?

Antonia a payé plus que le dîner avec un magret de canard. Le dîner comportant une fricassée d'épinards était moins cher que le dîner avec des poireaux à la crème, qui n'accompagnaient pas le filet de bœuf. Soit Lucile a mangé le filet de bœuf et Burt une ratatouille, soit Antonia a mangé le filet de bœuf et Lucile la ratatouille. Neal, qui avait commandé un risotto aux champignons, a payé 50 cents de plus que le dîner avec le gigot d'agneau, qui avait été commandé par Calvin ou Antonia. L'agneau coûtait le double de la poitrine de porc rôtie. Soit Calvin soit Antonia a payé 25,50 euros et a mangé des poireaux à la crème. Quelqu'un a commandé des carottes laquées. Aucun convive n'a commandé un repas végétarien. Le montant des différentes additions était de 24 €, 24,50 €, 25 €, 25,50 € et 26 €.

Dîner	Plat principal	Garniture	Addition

Solution page 189

41

BILLES

Même si les billes ne sont plus le jouet universellement adoré qu'elles étaient autrefois, elles restent des objets charmants et intrigants.

Supposons que vous avez un sac de billes. Partez du principe, pour cet exercice, que les billes restent où vous les avez posées et qu'elles sont toutes de la même taille. Si vous en placez une sur un sol plat, combien pourrez-vous en placer autour, de façon qu'elles touchent à la fois le sol et la bille centrale ?

Solution page 189

42

SOUS TERRE

Imaginez que nous soyons le 1er août et que vous vous reposiez dans une ravissante clairière d'un bois européen. La journée est chaude et ensoleillée. Tout autour de vous, la nature fait son travail d'été.

Mais quelle est la saison de l'année trois mètres sous la surface du sol ?

Solution page 190

43

GYMNASTIQUE MENTALE

Plusieurs affirmations sont énoncées ci-dessous. Vous pouvez partir du principe – pour la résolution de ce problème – qu'elles sont absolument vraies. À partir de ces informations, vous devriez être en mesure de répondre à la question qui suit.

> Aucun mari qui achète souvent des cadeaux pour sa femme ne peut être considéré comme désagréable.
>
> Un mari ordonné rentre toujours à la maison à l'heure pour le dîner.
>
> Un mari qui accroche son chapeau sur le robinet n'est jamais un mari bien éduqué par sa femme.
>
> Un mari bien éduqué par sa femme achète souvent des cadeaux pour elle.
>
> Seuls les maris peu ordonnés accrochent toujours leur chapeau sur le robinet.

Les maris bien éduqués par leur femme sont-ils à l'heure pour le dîner ?

Solution page 190

44

L'ÉNIGME DU CROCODILE

Les Grecs anciens avaient une devinette intéressante, de provenance inconnue. Vous pourriez la trouver divertissante.

Dans cette devinette, un crocodile dérobe son bébé à une mère sans méfiance, au bord de la rivière. La mère le supplie de lui rendre l'enfant sain et sauf. Ne voulant pas paraître cruel aux yeux des dieux, le crocodile accepte de lui donner une chance. Il lui dit : « Si tu prédis correctement le sort de ton bébé, je te le rendrai. Autrement, je le mangerai. » Bien entendu, le crocodile n'a pas l'intention de rendre le bébé.

Que peut dire la mère pour retrouver son bébé sain et sauf ?

Solution page 191

45

MÉTAL BOUILLANT

Il est bien connu que le métal se dilate quand il est chauffé. Le niveau précis de dilatation varie selon le métal et la température, mais il peut être très important – comme tout ingénieur en structure peut en témoigner.

Bien. Imaginez une simple pièce de métal circulaire, percée d'un trou au centre. La pièce est placée dans un feu. Au fur et à mesure que le métal se dilate, le trou va-t-il diminuer ou augmenter ?

Solution page 191

46

UN VOYAGE EN TRAIN

La vitesse peut être une geôle aussi rigoureuse que les mathématiques, et piéger l'individu sans méfiance dans une prison de causalité irréfutable. Pour le dire plus simplement, chacune de vos actions élimine des possibilités de votre avenir et en ouvre d'autres.

Imaginez deux trains, chacun partant des extrémités opposées d'une ligne de chemin de fer, sur des rails parallèles. Si l'idée semble un peu abstraite, disons qu'une ville se trouve à chaque terminus. Quand le train 1 quitte la ville A pour la ville B, le train 2 quitte la ville B pour la ville A.

Quand les deux trains se croisent, il reste une heure de trajet au train 1 pour atteindre la ville B, alors que le train 2, qui est plus lent, a encore quatre heures de trajet pour atteindre la ville A. En partant du principe que leurs vitesses sont constantes au cours du voyage, combien de fois le train 1 roule-t-il plus vite que le train 2 ?

Solution page 192

47

TEXTE CRYPTÉ

Dans cette énigme, le jeu consiste à déchiffrer une citation rendue sibylline par un simple code. Pouvez-vous découvrir le contenu du texte ?

YUREBVFZR FHE PBZZNAQR YA OEHGNYVGE FGHCVQR PEGGE

YNZRAGNOYR NGGVGHQR QR CNGEVBGVFZR DHRYYR UNVAR

IVBYRAGR WNV CBHE GBHG PRYN PBZOVRA ZRCEVFNOYR RG

IVYR RFG YN THREER WR CESRERNVF RGER QRPUVER RA

YNZORNHK CYGBG DHR QR CEAQER CNEG N HAR GRYYR

ONFFRFFR WR FHVF PBAINVAPH DHR GHRE FBHF CERGRKGR

QR THRRE ARFG EVRA QNHGER DHHA NFFNFFVANG

Solution page 192

48

PUISSANCE

Si l'on écarte l'utilisation d'outils, tels que des leviers, pouvez-vous dire quel mouvement régulier est le plus puissant dont le corps humain est capable ?

Solution page 193

CHAPITRE 3

« Les grands esprits ont toujours rencontré l'opposition des esprits médiocres. L'esprit médiocre est incapable de comprendre l'homme qui refuse de se courber aveuglément devant les préjugés conventionnels et choisit plutôt d'exprimer ses opinions courageusement et honnêtement. »

ALBERT EINSTEIN

49

LE CARRÉ MAGIQUE

L'artiste allemand Albrecht Dürer joua un rôle essentiel dans l'essor de la Renaissance en Europe du Nord et apporta des contributions immenses à la théorie artistique. Dans l'une de ses œuvres les plus connues et énigmatiques, intitulée *Melancolia*, il plaça un carré magique célèbre reproduit ci-dessous.

C'est un exemple inégalé de carré magique, extrêmement sophistiqué à de nombreux égards. Comme la plupart de ses semblables, les rangées horizontales, les colonnes verticales et les lignes diagonales du carré de Dürer donnent une somme identique, en l'occurrence 34. Mais il y a d'autres façons d'obtenir d'autres sommes de 34 dans ce carré.

Combien pouvez-vous trouver de façons de diviser le carré de Dürer en quatre séries de quatre nombres, chacune totalisant 34 ?

16	3	2	13
5	10	11	8
9	6	7	12
4	15	14	1

Solution page 196

50

CUILLÈRE D'ARGENT

Il est courant, quand on verse du thé bouillant dans un verre, de placer d'abord une cuiller dans le verre. Dans l'idéal, la cuillère devrait être en argent. Le but est d'éviter que le verre n'explose.

Mais pourquoi y a-t-il un tel risque ?

Solution page 197

51

ART ET LOGIQUE

Pour cette épreuve, aucune connaissance des lois de l'Univers n'est nécessaire. Seule votre capacité à penser logiquement sera testée.

Plusieurs personnes visitent des galeries d'art dans des villes différentes, en quête d'œuvres d'art pour diverses écoles de beaux-arts, mais chacune est touchée par quelque chose qui n'entre pas vraiment dans ses goûts habituels. À partir des informations fournies ci-dessous, pouvez-vous dire par le travail de quel artiste James a été impressionné ?

La personne en quête de paysages urbains visite une galerie à Toronto et n'est ni Kara ni Pippa. Celle qui visite la galerie d'Oxford est impressionnée par une œuvre de Newman et n'est pas Adam, qui cherche des œuvres préraphaélites. Celle qui est impressionnée par une œuvre de Haring visite une galerie de Madrid. Sebastian cherche de l'Op Art et n'est pas touché par une œuvre de Newman. La personne qui est impressionnée par une œuvre de Barker n'est ni James ni Sebastian. Celle qui recherche du cubisme n'est pas à New York. Kara est impressionnée par une œuvre de Riley et ne recherche pas des œuvres néo-classiques. Une personne est impressionnée par une œuvre de Rosing. Une autre visite une galerie à Francfort.

Personne	Ville	Recherche	Impressionnée par

Solution page 197

52
APRÈS LE BAIN

Nous avons établi que la chaleur provoque la dilatation. Vous avez peut-être observé qu'il était difficile de mettre une botte ou une chaussure rigide après une douche ou un bain chaud. La dilatation provoquée par la chaleur a-t-elle rendu votre pied plus volumineux ?

Solution page 198

53

LE PARADOXE DE LA PROBABILITÉ

La probabilité peut se transformer en casse-tête intéressant, notamment quand il s'agit d'interconnexions au sein d'un groupe. C'est particulièrement vrai en matière d'anniversaires. Vous devez réunir au hasard un groupe de 367 personnes pour avoir 100 % de chances que deux d'entre elles aient le même anniversaire (y compris le 29 février). Combien devez-vous en réunir pour avoir 99 % de chances que deux d'entre elles soient nées le même jour ? Et pour avoir 50 % de chances ?

Solution page 199

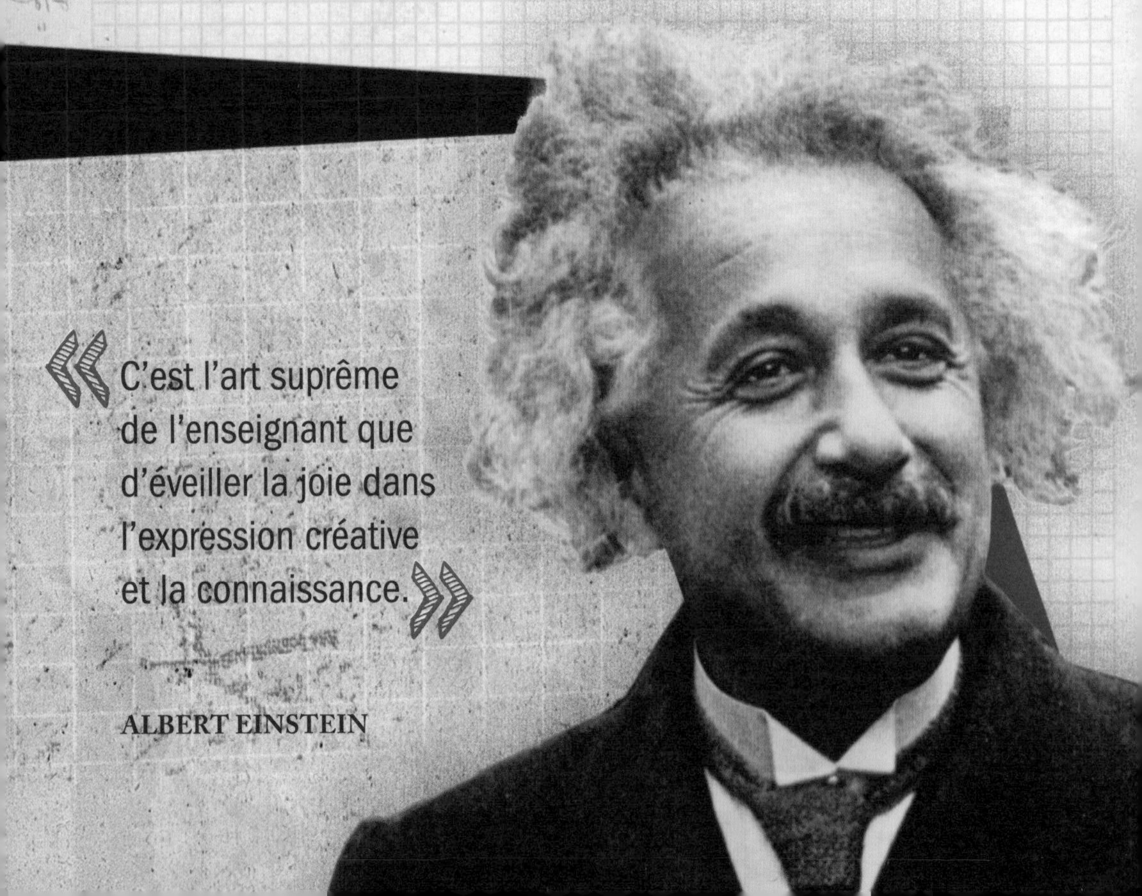

« C'est l'art suprême de l'enseignant que d'éveiller la joie dans l'expression créative et la connaissance. »

ALBERT EINSTEIN

54

ABSOLUMENT VRAI

Plusieurs affirmations sont énoncées ci-dessous. Vous pouvez partir du principe – pour la résolution de ce problème – qu'elles sont absolument vraies. À partir de ces informations, vous devriez être en mesure de répondre à la question qui suit.

Tout ce qui n'est pas laid peut être gardé dans une salle de séjour.

Rien de ce qui est incrusté de sel n'est jamais complètement sec.

Rien ne devrait être gardé dans une salle de séjour qui ne soit pas dénué d'humidité.

Les chaises longues sont toujours utilisées au bord de la mer.

Rien de ce qui est fabriqué en nacre ne peut être laid.

Tout ce qui est gardé au bord de la mer est incrusté de sel.

Les chaises longues peuvent-elles être fabriquées en nacre ?

Solution page 199

55
CRÉPUSCULE

De temps à autre, quand les conditions météorologiques s'y prêtent, on peut voir les rayons du soleil traverser le ciel, filtrés par un obstacle, tel qu'une montagne ou une trouée dans les nuages. Invariablement, ils se déploient en éventail juste derrière l'obstacle. Les météorologues les appellent « rayons crépusculaires ». Quand la lumière frappe l'atmosphère terrestre, tous les rayons sont parallèles et se déplacent exactement dans la même direction. Donc, comment un trou dans les nuages ou le sommet d'une montagne peut-il les faire diverger ?

Solution page 200

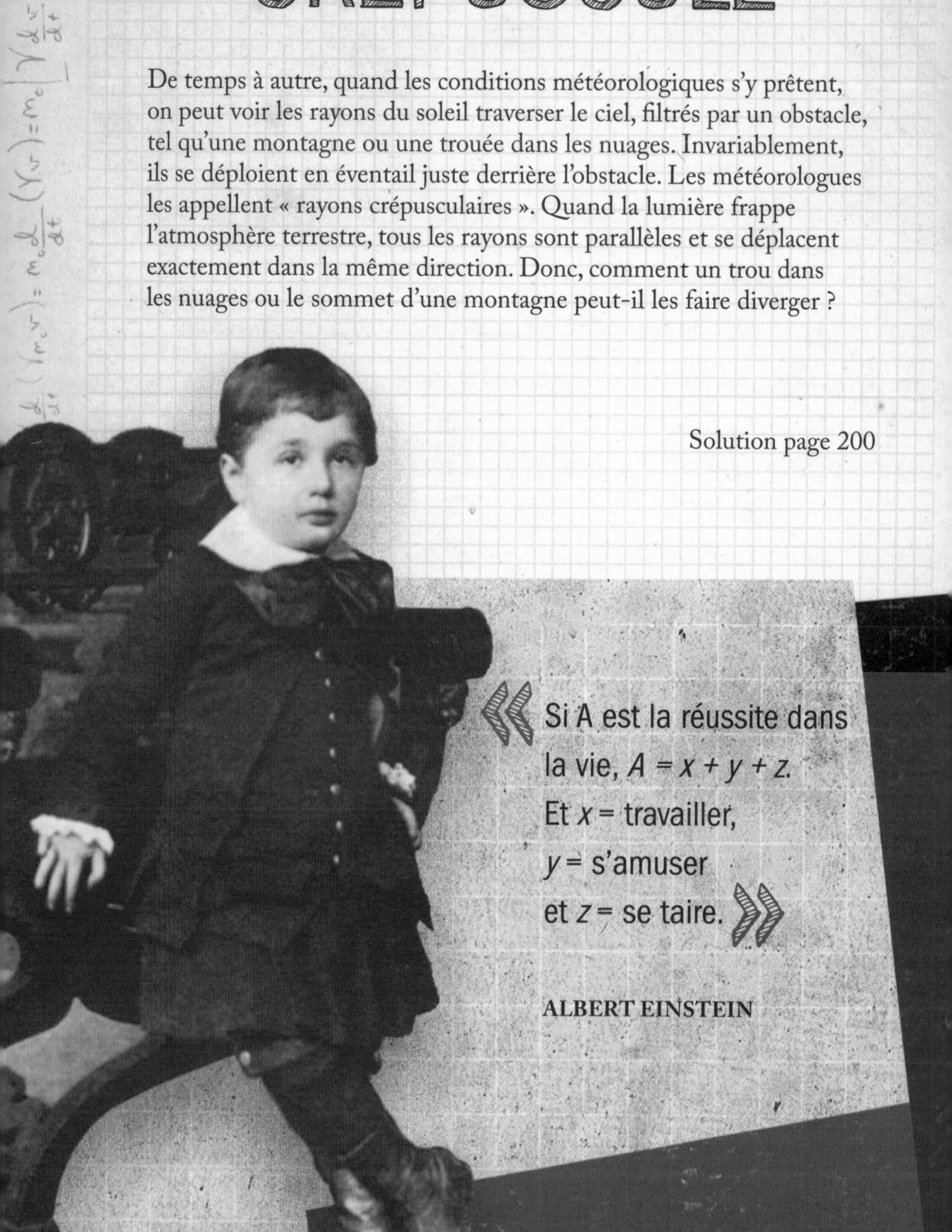

« Si A est la réussite dans la vie, $A = x + y + z$. Et x = travailler, y = s'amuser et z = se taire. »

ALBERT EINSTEIN

56

ÉBULLITION

Avez-vous déjà observé l'eau quand vous la faites bouillir ? Même si cela ne semble pas un processus particulièrement instructif ou passionnant et bien qu'il soit banal dans notre monde moderne, il reste néanmoins une merveille. C'est le modèle sonore qui l'accompagne qui est d'un intérêt particulier pour l'objectif de notre exercice. Quand vous commencez à faire chauffer l'eau, la bouilloire est silencieuse. Cependant, un léger bruit craquant et sifflant ne tarde pas à se faire entendre. Avec le temps, le volume du bruit augmente régulièrement et se transforme en bouillonnement net. Ce bouillonnement enfle, puis s'arrête subitement. Un instant plus tard, l'eau bout complètement.

Pourquoi cette chute soudaine du volume sonore ?

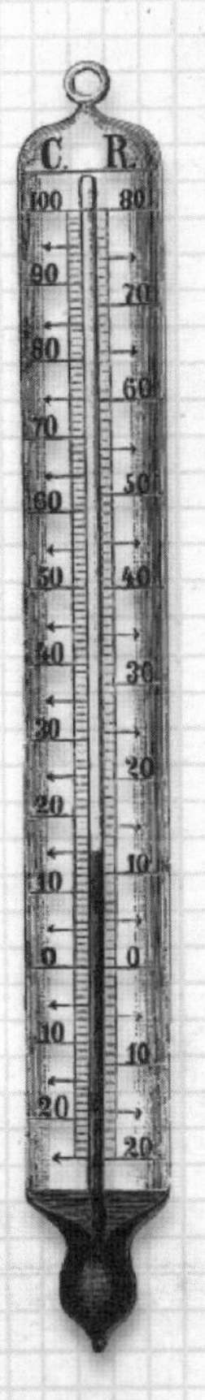

Solution page 201

57

AU FIL DE LA LOGIQUE

Viendrez-vous à bout de ce problème de logique ?

Cinq membres d'un club de tricot travaillent sur des projets différents, avec des laines de couleurs différentes et des destinataires différents. Pouvez-vous dire quel projet est tricoté en laine indigo ?

La personne qui utilise de la laine rouge tricote des chaussettes, mais pas pour un conjoint ou un amant. La personne qui utilise de laine bleue tricote pour un ami, mais il ne s'agit pas d'une couverture. Quelqu'un tricote un pull-over. Radka n'utilise pas de la laine grise et ne tricote pas pour un voisin. Une personne utilise de la laine indigo. Kristen utilise de la laine mauve, mais elle ne tricote pas pour un voisin – cette personne tricote une écharpe. Hope ne tricote pas avec de la laine grise. Ebony prépare un cadeau pour une nièce. Delmer tricote un chapeau, mais pas pour un conjoint.

Personne	Couleur de laine	Projet	Destinataire

Solution page 201

58
L'ILLUSIONNISTE

Imaginez un tour de prestidigitation. Vous êtes parmi les spectateurs et regardez une magicienne à l'œuvre. Elle vous montre une table en bois vide : rien dessus et rien en dessous. Avec un geste ample, elle pose une boîte ouverte, vide, à l'envers sur la table. Quand elle la retire, la tête sans corps de son assistant apparaît sur la table, moustaches en bataille. Il répond aux questions que pose la magicienne, tout en souriant aux spectateurs.

Ce tour peut être facilement réalisé en exploitant des principes déjà évoqués dans ce livre. Voyez-vous comment ?

Solution page 202

59

TRACES DE BRONZAGE

Cela peut sembler paradoxal, mais il y a une différence importante entre le bronzage sur une plage de sable et le bronzage dans votre jardin. Et cela reste vrai, même si votre jardin se trouve en bordure de la plage en question et même si vous n'entrez pas dans l'eau.

D'après vous, quelle en est la raison ?

Solution page 203

60

TEXTE CRYPTÉ

Dans cette énigme, le jeu consiste à déchiffrer une citation rendue sibylline par un simple code. Pouvez-vous découvrir le contenu du texte ?

OZ KOFH YVOOV XSLHV WLMG MLFH KFRHHRLMH
UZRIV LVCKVIRVMXV VHG OV NBHGVIV OZ HLFIXV
WV GLFG EIZR ZIG VG WV GLFGV EIZRV HXRVMXV
XVOFR Z JFR XVGGV VNLGRLM VHG VGIZMTVIV VG
JFR MV KVFG KOFH HVNVIEROOVI MR HVGLMMVI
CVOFIOA VHG XLNNV HRO VGZRG NLIG HVH BVFC
HLMG UVINVH

Solution page 204

61

LE DILEMME DU PRISONNIER

Le Dilemme du prisonnier, l'une des plus intéressantes expériences de pensée issues de la Théorie des jeux, a provoqué d'innombrables réflexions et discussions depuis sa conception.

Deux criminels sont séparés et se voient offrir le même marché – témoigner contre l'autre et être libéré, sachant l'autre assuré d'une condamnation à dix ans de prison. Si chacun témoigne contre l'autre, chacun écopera d'une peine de prison de cinq ans. Si tous les deux refusent, tous deux ne seront emprisonnés que six mois.

Aucune communication sous aucune forme ne leur est permise. Ils ne sont pas des amis proches et aucun n'a de certitude sur le choix de l'autre ; mais ils ne se détestent pas et préfèreraient séjourner en prison le moins longtemps possible.

Si vous étiez l'un des deux prisonniers, quelle serait votre meilleure option ?

Solution page 204

62

LAMPE À HUILE

Autrefois, avant l'apparition des lampes électriques, les mineurs utilisaient une source lumineuse très particulière. Cette lampe à huile, ou lampe Davy, comportait un treillis métallique qui entourait la flamme. Si le mineur pénétrait dans une zone très pauvre en oxygène, la lampe s'éteignait. Mais, plus important, s'il rencontrait une poche de gaz inflammables, la lampe ne provoquait pas d'explosion, contrairement à une lampe à huile classique.

Pourquoi ?

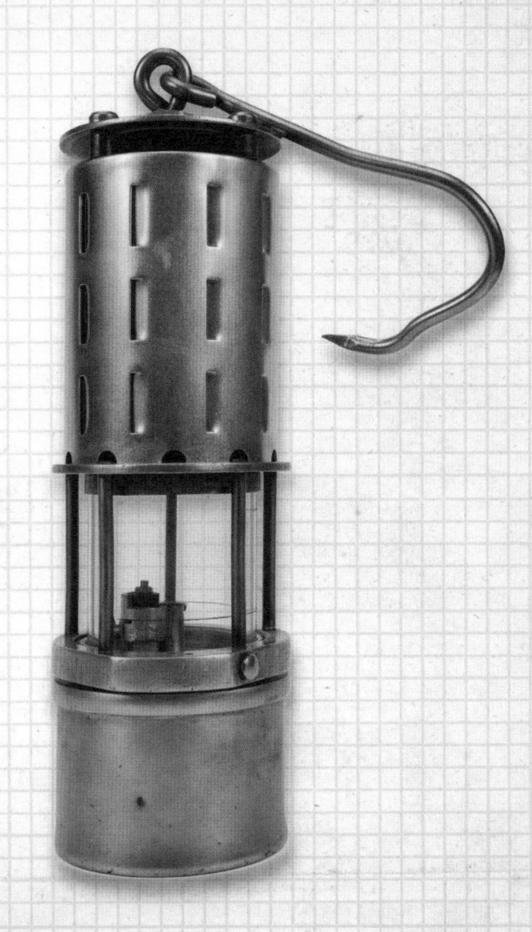

Solution page 205

63

EXPOSÉ DES FAITS

Plusieurs affirmations sont énoncées ci-dessous. Vous pouvez partir du principe – pour la résolution de ce problème – qu'elles sont absolument vraies. À partir de ces informations, vous devriez être en mesure de répondre à la question qui suit.

Il n'y a pas de jour de malchance quand Robinson est aimable avec moi.

Les mercredis sont toujours nuageux.

Quand les gens prennent leur parapluie, le temps n'est jamais sec.

Robinson n'est désagréable avec moi que le mercredi.

Tout le monde prend son parapluie quand il pleut.

Mes jours de chance sont toujours secs.

Les jours pluvieux sont-ils nuageux ?

Solution page 205

64

SÉRIE

La mise en correspondance de modèles est l'une des grandes compétences de l'humanité. Quand nous rencontrons un nouvel objet, nos esprits décident comment le traiter en le plaçant dans autant de catégories différentes que possible – couleur, détails de forme, texture, contexte, parfum, bruit, etc. Quand les données brutes ont été transformées en étiquettes, la série complète des étiquettes est comparée avec d'autres séries d'étiquettes pour savoir quel type d'objet connu correspond le mieux. Notre compétence dans ce genre d'identification de modèle est telle que même les ordinateurs les plus puissants restent nettement inférieurs à l'observation humaine dans certains types de traitement visuel.

Cette énigme de série va tester votre capacité à faire correspondre des modèles. La série de lettres qui suit a une raison très précise. Pouvez-vous la trouver et trouver la lettre suivante dans la liste ?

D Q S H D D Q S ...?

ABCDEFG
HIJKLMN
OPQRSTU
VWXYZ

Solution page 206

65

AU SOLEIL

Imaginez une journée d'hiver claire et froide. Le soleil est vif, mais une couche épaisse de neige couvre le sol. Vous vous trouvez dans un espace vaste et dégagé et disposez de plusieurs petits carrés de tissu – de la même taille, mais teints des couleurs de l'arc-en-ciel, ainsi qu'un carré blanc et un carré noir. Par curiosité, vous les posez sur la neige, alignés mais sans contact entre eux, et allez vaquer à vos occupations.

Quand vous revenez, après plusieurs heures d'ensoleillement, que pensez-vous trouver ?

Solution page 206

« Tout ce qui peut être compté ne compte pas, et tout ce qui compte ne peut être compté. »

ALBERT EINSTEIN

66

RÉVOLUTIONS CYCLISTES

Une bicyclette moderne a habituellement des roues de taille identique. Cependant, si vous fixez un compteur qui mesure les révolutions de la roue avant et de la roue arrière, vous découvrirez après quelques semaines d'usage normal que la roue avant a enregistré davantage de révolutions au compteur que la roue arrière.

Pourquoi donc ?

Solution page 208

67

CADEAU LOGIQUE

Pour cette épreuve, aucune connaissance des lois de l'Univers n'est nécessaire. Seule votre capacité à penser logiquement sera testée.

Cinq hommes ont acheté un cadeau d'anniversaire pour leur femme. À partir des informations données ci-dessous, pouvez-vous dire depuis combien de temps est mariée la femme qui a reçu le manteau de fourrure ?

L'un des hommes s'appelle Len. Sur les cinq couples, Randolph et Eunice se sont mariés juste avant l'homme qui a acheté le collier. Mercedes reçoit un livre. Un couple est marié depuis sept ans, un autre depuis seulement trois ans. L'homme qui a acheté le bracelet est marié depuis 16 ans. Il n'est pas Jeffrey. Michael a acheté un manteau de fourrure. Terrell est marié depuis 14 ans, mais pas avec Anita. Elisha est mariée depuis 5 ans. Irma ne reçoit pas un collier ni de la lingerie et n'est pas mariée avec Michael.

Homme	Femme	Années de mariage	Cadeau

Solution page 209

68

LES SABLES DU TEMPS

Imaginez un sablier. Quand vous le retournez, le sable coule dans le bulbe inférieur. Il est assez clair que le sable qui descend est en chute libre. Donc, est-ce que cela signifie que le sablier est très légèrement plus léger ?

Solution page 209

69
LA PIÈCE DE MONNAIE

Voici un autre problème qui peut se transformer en démonstration amusante pour vos amis. Prenez une grande assiette et posez une pièce de monnaie mince dessus, de préférence pas au centre. Puis ajoutez assez d'eau pour recouvrir la pièce. Le défi consiste à ramasser la pièce à doigts nus, sans mouiller ceux-ci et sans déplacer ni incliner l'assiette.

Voyez-vous comment faire ?

Solution page 210

70

EST-CE VRAI ?

Plusieurs affirmations sont énoncées ci-dessous. Vous pouvez partir du principe – pour la résolution de ce problème – qu'elles sont absolument vraies. À partir de ces informations, vous devriez être en mesure de répondre à la question qui suit.

Un requin n'est jamais élégant.

Un poisson qui ne sait pas danser le menuet ne mérite pas le respect.

Aucun poisson n'est élégant, à moins de posséder trois rangées de dents.

Tous les poissons, sauf les requins, sont gentils avec les enfants.

Aucun gros poisson ne danse le menuet.

Un poisson avec trois rangées de dents mérite toujours le respect.

Les gros poissons sont-ils gentils avec les enfants ?

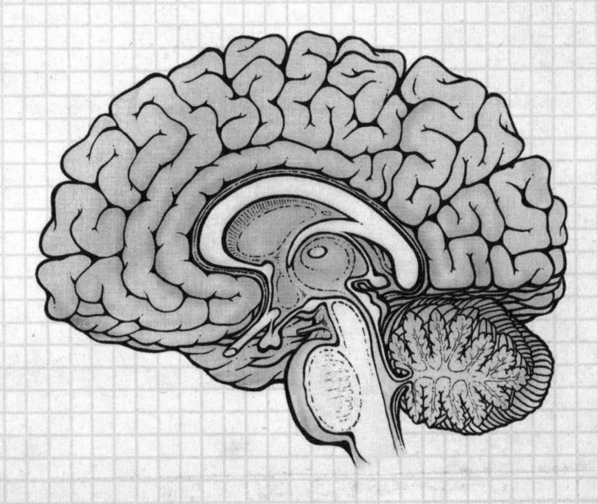

Solution page 211

71

LES CORBEAUX

Le moment est venu du raisonnement déductif. Carl Hempel, éminent philosophe des sciences, créa un curieux paradoxe basé sur une déduction logique. Le voici.

Partons du principe, pour cet exercice, que tous les corbeaux sont noirs. Cela implique que tout ce qui n'est pas noir n'est pas un corbeau. Nous pouvons étayer cette hypothèse en observant mon corbeau apprivoisé, Nevermore, qui est noir. Nous pouvons étayer l'implication en observant cette pomme verte, qui n'est pas un corbeau.

Par conséquent, voir une pomme verte prouve que tous les corbeaux sont noirs.

Quel est le problème de cette logique ?

Solution page 211

72

ÉTOILES FILANTES

Si vous aviez l'habitude d'observer le ciel nocturne, vous pourriez remarquer qu'il est beaucoup plus facile de repérer les météores entre minuit et l'aube qu'entre le crépuscule et minuit.

Quelle explication imaginez-vous ?

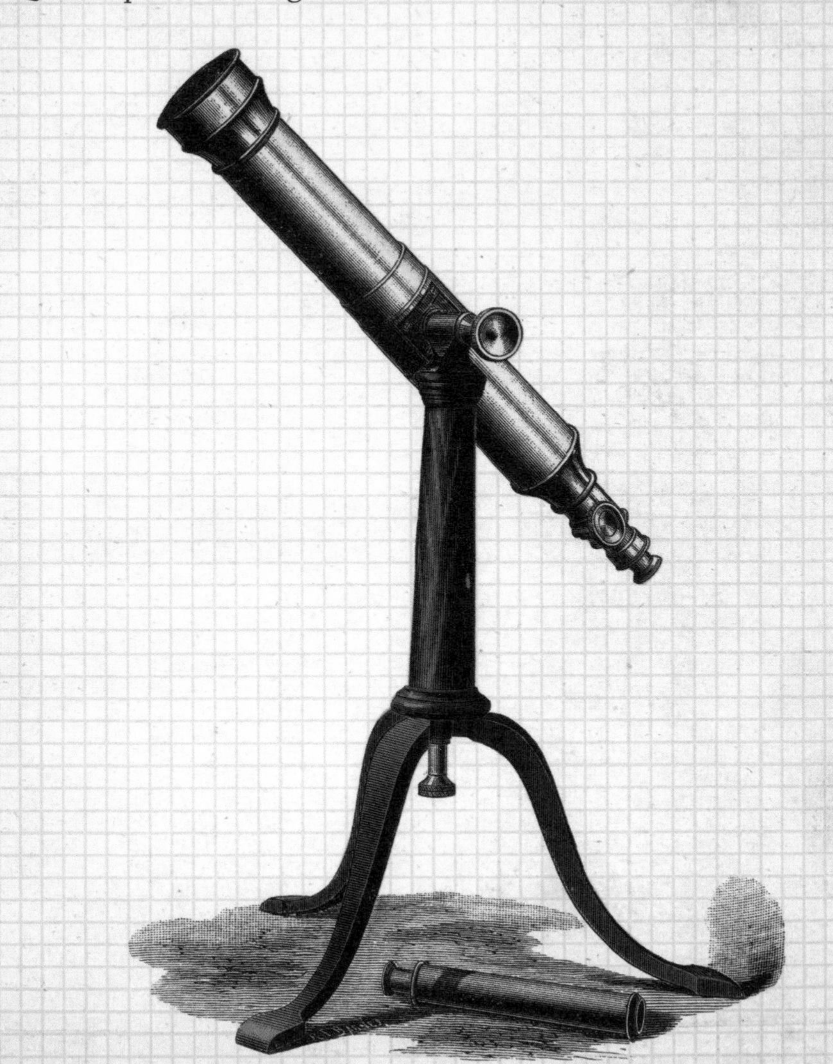

Solution page 212

73
SIMPLICITÉ

Juste une question simple et rapide cette fois.

De quelle proportion quatre quarts sont-ils supérieurs à trois quarts ?

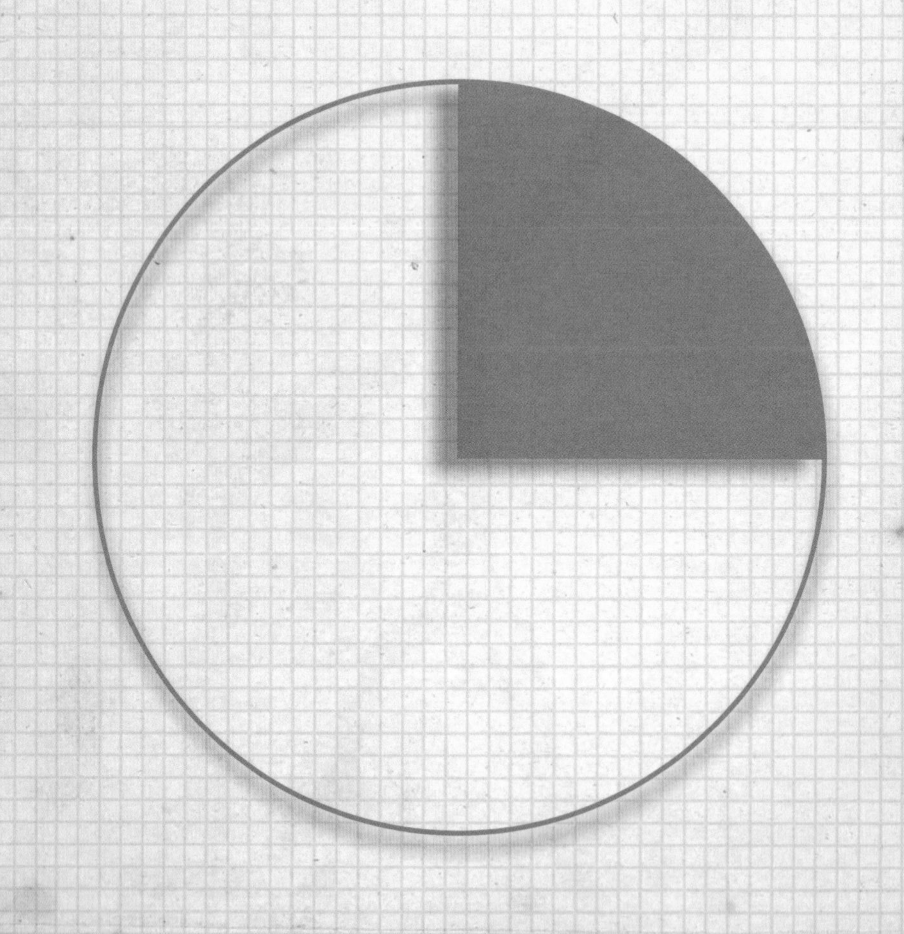

Solution page 212

74

TEXTE CRYPTÉ

Dans cette énigme, le jeu consiste à déchiffrer une citation rendue sibylline par un simple code. Pouvez-vous découvrir le contenu du texte ?

ONHIQJ HIUXJP LSHIQJ HISMHI XAWVHI WVUXHI FYUXHI HIHI QJLSGU

HIWVUX XALSWV HIHION ONHISM HIXAWV VLHIXA ONHIPG HIQJWV

SMDRVL VLHIUX GUXAQJ HIIQRK UXPGHI DRXAQJ HIDRXA WVUXHI

Solution page 213

75

CE N'EST PAS LA LUNE...

Supposez qu'il soit possible un jour d'évider un astéroïde et de le transformer en station spatiale. Pour l'instant, partons du principe improbable qu'un tel astéroïde est une sphère parfaite et fixe, et que sa paroi extérieure est d'une épaisseur uniforme.

En absence de toute gravité artificielle, est-ce qu'un objet lâché à l'intérieur de l'astéroïde serait attiré vers le centre ou vers le point le plus proche de la paroi, ou resterait-il où il est ?

Solution page 213

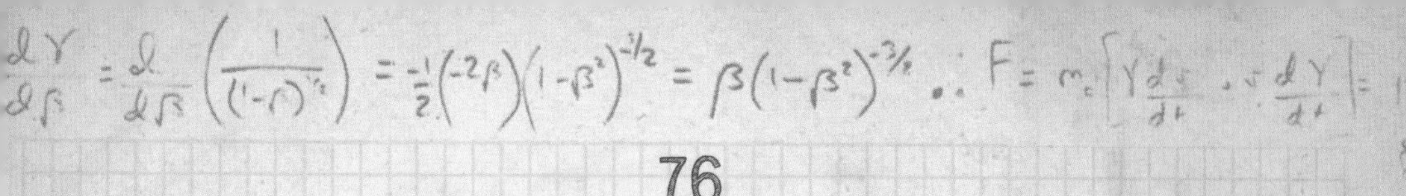

76

LA MOUCHE

Imaginez deux trains se dirigeant l'un vers l'autre sur le même rail. Ils sont éloignés de 100 km et chacun se déplace à 50 km/h. Au même instant, une mouche prend son envol du pare-brise d'un train et vole directement vers l'autre à une vitesse très impressionnante de 75 km/h. Dès qu'elle atteint l'autre train, elle prend la direction inverse. Elle continue ce manège jusqu'à ce que les trains entrent en collision.

Quelle distance la mouche parcourt-elle ?

Solution page 214

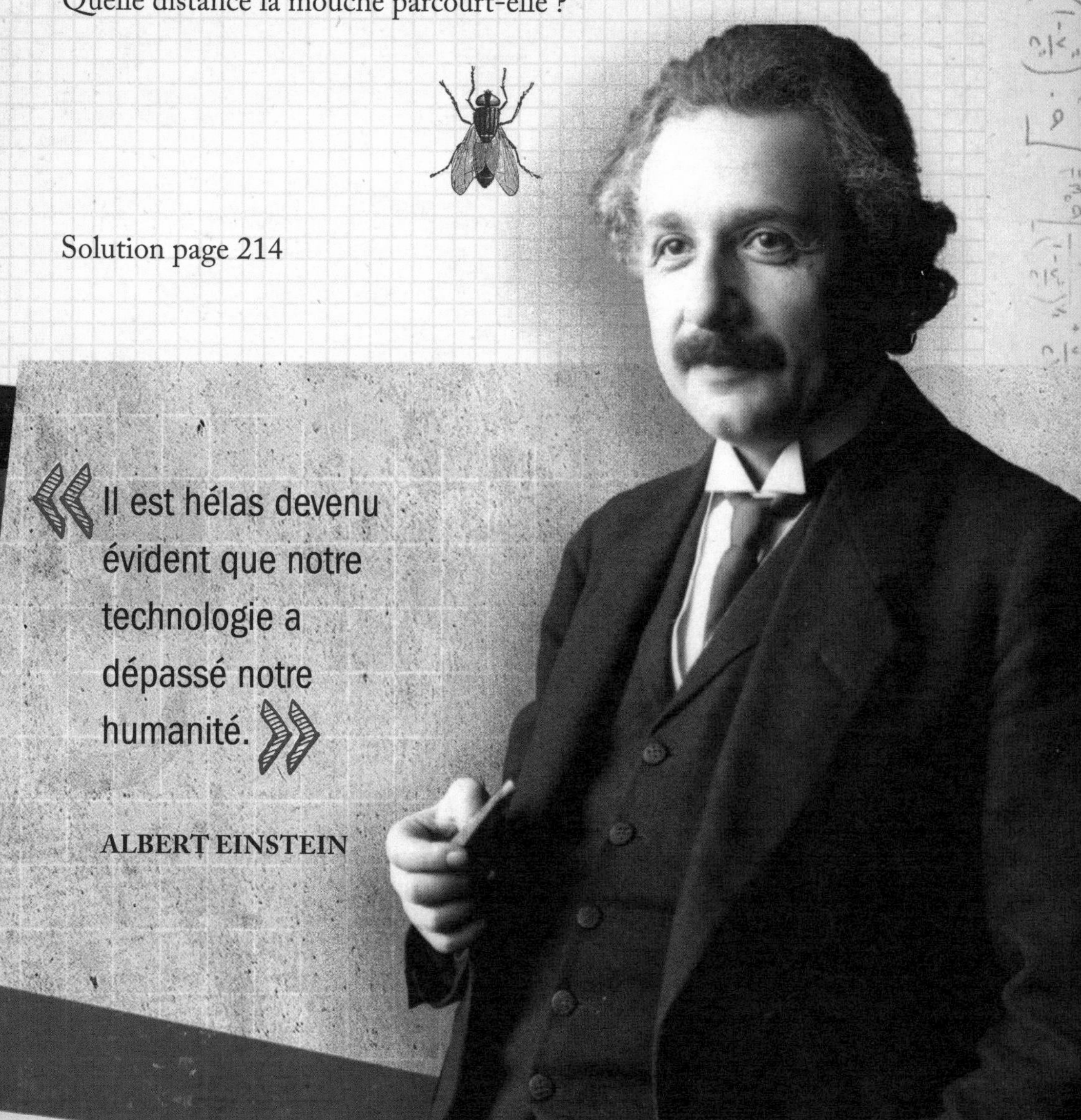

« Il est hélas devenu évident que notre technologie a dépassé notre humanité. »

ALBERT EINSTEIN

77

PAR LES DEUX BOUTS

Si vous allumiez une cigarette sans filtre – proposition moins facile en ces temps modernes – et la posiez sur une boîte d'allumettes ou un petit objet similaire, vous observeriez que la fumée s'échappe par les deux extrémités. Cependant, à une extrémité, la fumée s'élève, alors qu'à l'autre extrémité, elle se dirige vers le bas.

D'après vous, quelle est l'explication ?

Solution page 214

78

PENSÉE LOGIQUE

Pour cette épreuve, aucune connaissance du fonctionnement du monde n'est nécessaire. Seule votre capacité à penser logiquement sera testée.

Un groupe de chauffeurs routiers livrent leur chargement. Dans quelle ville livrent-ils du bœuf ?

Le camion gris se rend à Cambridge. Un chargement voyage dans un camion blanc. Les briques de lait sont dans un camion bleu, mais ne sont pas livrées par James ou Delmer. Omar livre de la farine, mais pas à Birmingham. Le camion destiné à Manchester n'est pas conduit par Krista ou Omar. Un chargement est destiné à York. Le chargement destiné à Birmingham, dans un camion vert, n'est pas constitué de pommes (qui sont livrées par Isaac). Le bœuf n'est pas dans un camion rouge. James se rend à Andover, mais pas avec du riz.

Chauffeur	Chargement	Ville	Couleur du camion

Solution page 215

CHAPITRE 4

« Bien que je sois un solitaire dans ma vie de tous les jours, la conscience d'appartenir à l'invisible communauté de ceux qui luttent pour la vérité, la beauté et la justice m'a empêché d'éprouver un sentiment de solitude. »

ALBERT EINSTEIN

79

REFROIDISSEMENT

La majorité de nos conventions mécaniques quotidiennes se sont développées parce que leur efficacité ne se dément pas au fil du temps. Nous mélangeons des ingrédients dans un saladier parce que l'absence de joints permet d'obtenir un mélange homogène et parce que nous avons besoin d'un récipient assez grand pour limiter les éclaboussures. La plupart des verrous tournent dans le sens horaire parce que le mouvement est plus facile pour les droitiers qui constituent la majeure partie de la population. Et quand nous faisons chauffer une casserole, nous la posons directement sur la source de chaleur, plutôt que loin au-dessus ou décentrée, car c'est la meilleure méthode pour optimiser le transfert de chaleur. Que feriez-vous donc pour le refroidissement ? Imaginez que vous ayez une boîte en métal fermée que vous vouliez refroidir à l'aide d'un bloc de glace que vous ne vouliez pas briser. Quelle serait la méthode la plus efficace pour refroidir la boîte ?

Solution page 218

80

BRODERIE

Le fait est assez étonnant, mais si vous réunissez une poignée d'aiguilles de longueur *r* et les lancez au hasard (au lieu de les placer avec soin) sur une surface divisée en bandes parallèles dont la largeur est égale à *r*, vous pouvez calculer pi. (Vous pouvez le faire avec des aiguilles d'une longueur différente de la largeur des bandes, mais le calcul devient plus compliqué.)

Précisément, pi se révèle être 2 fois le nombre d'aiguilles que vous avez lancées divisé par le nombre de lancers dans lesquels une aiguille traverse une couture entre les bandes. Autrement dit, la probabilité qu'une aiguille tombe en travers d'une couture est 2/pi.

Comment pi intervient-il ?

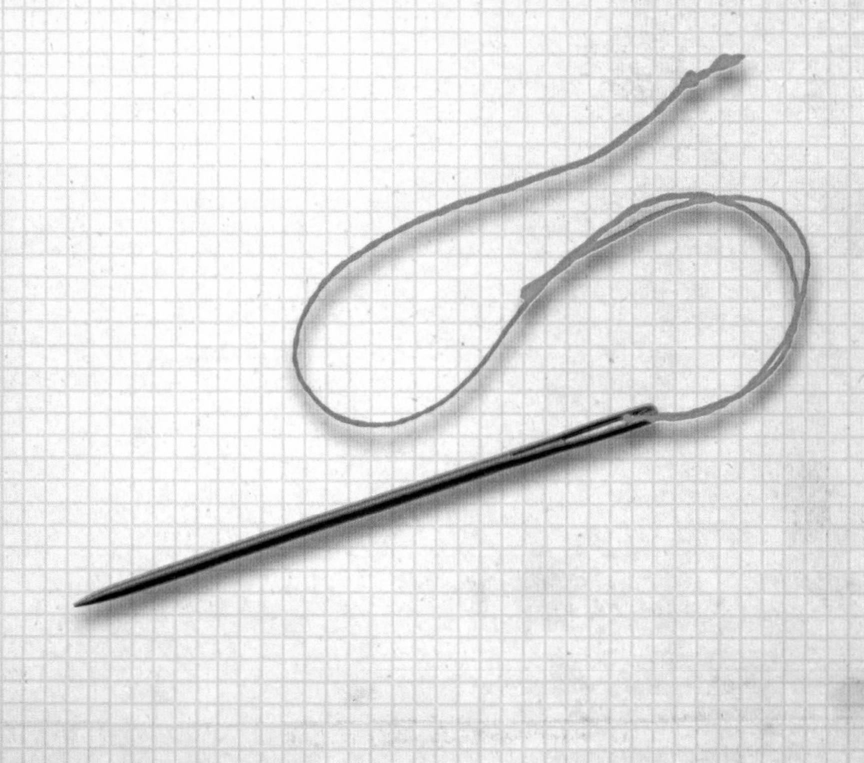

Solution page 218

81

DOUCE VÉRITÉ

Plusieurs affirmations sont énoncées ci-dessous. Vous pouvez partir du principe – pour la résolution de ce problème – qu'elles sont absolument vraies. À partir de ces informations, vous devriez être en mesure de répondre à la question qui suit.

Tous les humains – sauf les valets de chambre – ont au moins du bon sens.

Tous ceux qui se nourrissent uniquement de bonbons ne peuvent être que des bébés.

Seuls ceux qui jouent à la marelle savent ce qu'est le vrai bonheur.

Aucun bébé n'a de bon sens.

Aucun conducteur ne joue à la marelle.

Aucun valet de chambre n'ignore ce qu'est le vrai bonheur.

Les conducteurs se nourrissent-ils de bonbons ?

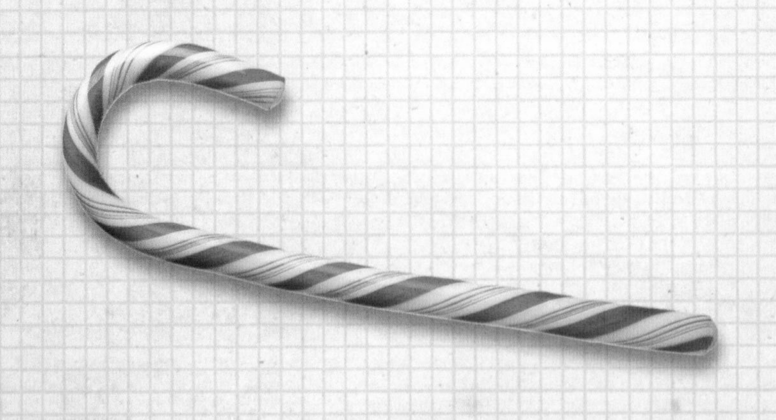

Solution page 218

82
ÉLÉVATION

Il y a de multiples connaissances passionnantes à glaner dans la mécanique des fluides et ses applications. Nous avons parcouru un long chemin entre l'*eurêka* apocryphe d'Archimède dans son bain et le stade où nous sommes capables d'envoyer des vaisseaux submersibles dans les failles les plus profondes de la Terre, et même de les récupérer sans dommage. Au fond de la fosse des Mariannes, à quelque 11 km sous la surface, la pression de l'eau est 1 000 fois supérieure à la pression de l'atmosphère : 1 100 kg/cm^2.

Pour l'instant, toutefois, nous allons nous intéresser à des eaux moins profondes. Imaginez un petit bateau flottant dans une piscine. Vous vous tenez au bord du bassin, avec une brique. Vous pouvez lancer la brique dans le bateau – ce qui ne le fera pas couler – ou directement dans la piscine.

Laquelle des deux options fera le plus monter le niveau de l'eau de la piscine ?

Solution page 219

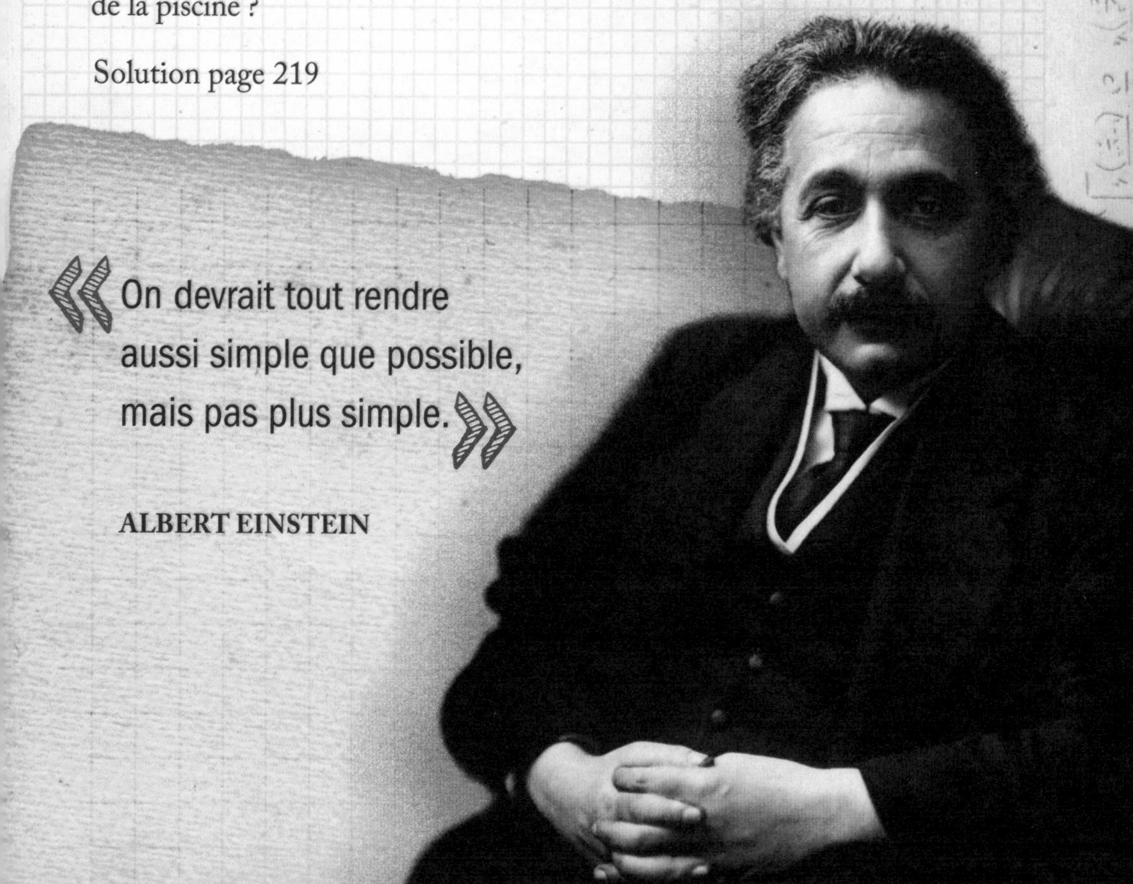

83
TONNEAU

Le problème ne présenta pas un caractère aussi pratique qu'il y a un siècle ou deux, mais ses principes en donnent une excellente illustration.

Imaginez donc que vous ayez un tonneau. Il est grand et ouvert en haut, et contient de l'eau. En regardant à l'intérieur, vous pouvez deviner qu'il est plus ou moins à moitié plein. En l'absence de tout outil qui vous permettrait de mesurer l'eau, pouvez-vous trouver une méthode pour savoir si le niveau de l'eau est supérieur ou inférieur à la moitié du tonneau ?

Solution page 219

84

CHIMPANZÉ ATHLÉTIQUE

Imaginez une corde lisse d'un poids insignifiant, tendue sur une roue, ce qui lui permet de glisser librement. La corde descend de chaque côté de la roue, sur une longueur égale. Sur le côté gauche, un poids de 10 kg est attaché à l'extrémité de la corde. De l'autre côté, exactement au même niveau que le poids, se trouve un jeune chimpanzé, pesant lui aussi 10 kg. À votre signal, le chimpanzé va commencer à grimper à la corde.

Lequel des deux, le chimpanzé ou le poids, atteindra-t-il le haut le premier ?

Solution page 220

85

CASSE-TÊTE LOGIQUE

Pour cette épreuve, aucune connaissance du fonctionnement du monde n'est nécessaire. Seule votre capacité à penser logiquement sera testée.

Plusieurs femmes font des trajets en taxi dans New York, avec des objectifs divers. À partir des informations données ci-dessous, pouvez-vous dire où se situe la visite au client ? Kathleen paie davantage pour son trajet que la femme qui vient expertiser un bien. Annie ou Kathleen viennent visiter un client, et paie 5 $ de plus que la femme qui vient à un conseil d'administration. La femme qui se rend à Central Park paie moins que la femme qui se rend à Grand Central Station et ne réalise pas un reportage photographique. L'une des femmes se rend à Liberty Island. Soit Virginia va à SoHo et Kathleen réalise un reportage photographique, soit Robin va à SoHo et Virginia réalise un reportage photographique. Les notes de taxi s'élèvent à 60 $, 65 $, 70 $, 75 $ et 80 $. Marcella qui se rend à l'angle de la 54e et de Lexington, paie 5 $ de plus que la femme qui va visiter un client. Kathleen ou Annie fait de la détection de talents et paie 75 $ pour la course.

Femme	Destination	Objectif	Note

Solution page 220

86

COURANTS D'AIR

Par une journée froide, vous avez peut-être remarqué un courant d'air désagréable qui vient de votre fenêtre, alors qu'elle est bien fermée et qu'il n'y a aucune fissure. Ce phénomène est parfaitement naturel et ni la fenêtre ni son fabricant n'en sont responsables. Pouvez-vous l'expliquer ?

Solution page 221

« Ne vous inquiétez pas de vos difficultés en mathématiques. Je peux vous assurer que les miennes sont encore plus grandes. »

ALBERT EINSTEIN

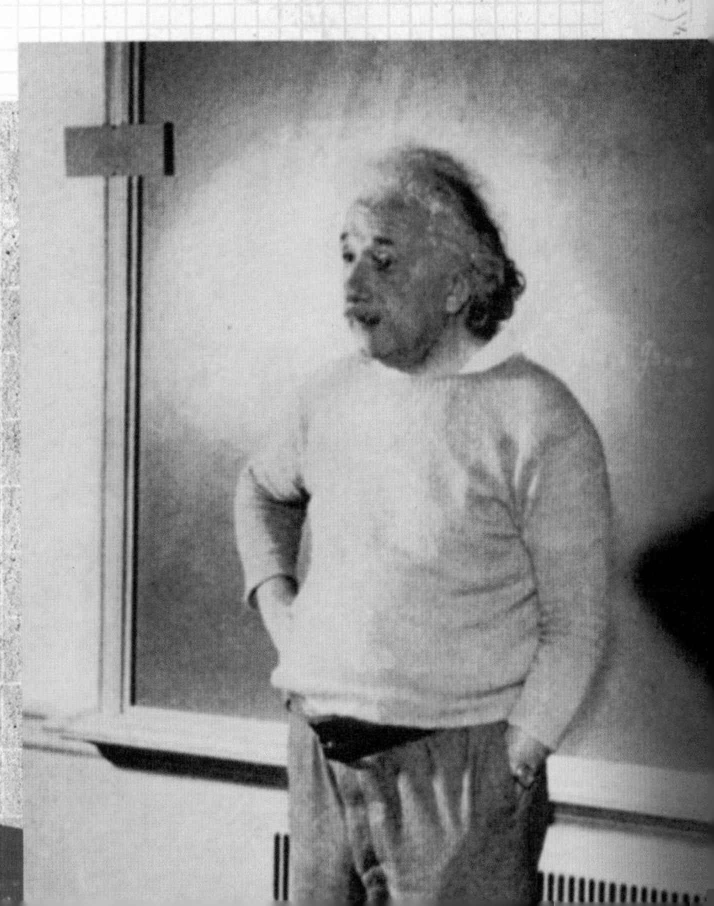

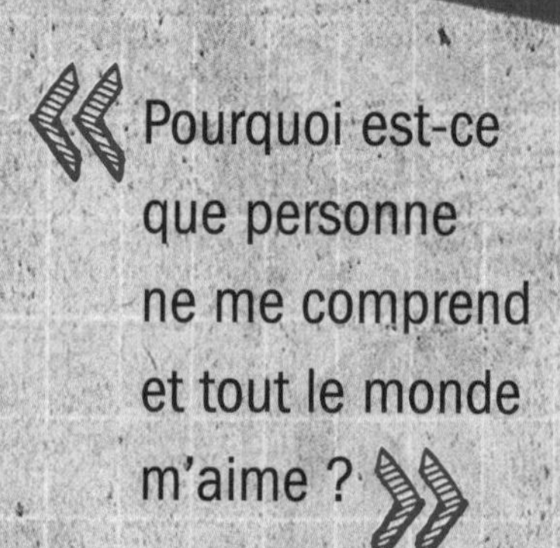

« Pourquoi est-ce que personne ne me comprend et tout le monde m'aime ? »

ALBERT EINSTEIN

87

SEL

Cela fait longtemps qu'il est courant d'ajouter quelques grains de riz dans les salières. L'objectif n'est pas de modifier le goût du sel et le riz n'est pas consommé. Et même, si un peu de riz tombe dans un plat par mégarde, on le retire et on le jette. Donc, manifestement, l'ajout de riz n'est pas une question de goût ni d'esthétique. Pourquoi donc ajouter ce riz ?

Solution page 222

88

TEXTE CRYPTÉ

Dans cette énigme, le jeu consiste à déchiffrer une citation rendue sibylline par un simple code. Pouvez-vous découvrir le contenu du texte ?

VWZZO OHXQF UWZBN SCRZW DIDQQ EAGFX
VVLIY EFJUV ZIIDQ AEDVN PZKIH PYLIQ
RLDQS EODQB NWHXQ DPCWW RRZGA EKRGZ
LBNRG EATDU SBZIK RSOSE EMQZI GLBNR
LGXZE EUWLH SQLHO DAPTK UHSHR JXTZZ
EHHNI UAFKE PZKIH ULEZZ IOGDV SZGHU
VZIKQ OLLXO UPRKT SDDIM DAGXT ERNRB
VQLVO EYNVK ZZKTL JRSTD ORZJH USSUK
ELLTK RNNYD MQEHP INOPQ EZZWA ULBZQ
XSXDT QALLB UNPZH ERRVZ LADDW EZDLK
SHYWZ ABTFY UNKDL TZZNK REWZD ENBHY
SOZWQ

Solution page 222

89

LE CHAMP DE COURSES DE ZÉNON

Avec le paradoxe de la Dichotomie, le philosophe grec Zénon d'Élée affirme que le mouvement devrait être impossible. Tout déplacement doit passer par un point intermédiaire avant d'arriver à son but. Mais alors le point intermédiaire devient un nouveau but, qui a également son point intermédiaire, et ainsi de suite. En réalité, le mouvement le plus minuscule possède un nombre infini de points intermédiaires toujours plus rapprochés qui doivent d'abord être atteints et aucun laps de temps fini ne suffira jamais à les atteindre tous.

Il est clair que le mouvement est possible et que la Dichotomie comporte une erreur logique. Voyez-vous laquelle ?

Solution page 223

90

UN ŒUF DANS UNE BOUTEILLE

Il est possible de faire entrer un œuf cru, dans sa coquille intacte, dans une bouteille dont le col est trop étroit pour autoriser son passage. La fabrication de la bouteille n'est aucunement concernée par l'astuce, et l'œuf est on ne peut plus normal. Voyez-vous comment réussir ce tour ?

Solution page 225

91

EXERCICE DE LOGIQUE

Plusieurs affirmations sont énoncées ci-dessous. Vous pouvez partir du principe – pour la résolution de ce problème – qu'elles sont absolument vraies. À partir de ces informations, vous devriez être en mesure de répondre à la question qui suit.

Je fais confiance à tous les animaux qui m'appartiennent.

Les chiens rongent les os.

Je ne laisse pas entrer d'animaux dans mon bureau à moins qu'ils ne fassent le beau quand on le leur demande.

Tous les animaux du jardin m'appartiennent.

J'admets dans mon bureau tous les animaux en qui j'ai confiance.

Les seuls animaux qui font le beau quand on le leur demande sont les chiens.

Tous les animaux du jardin rongent-ils des os ?

Solution page 226

92

LES BOÎTES DE BERTRAND

Joseph Bertrand, mathématicien français du XIXe siècle, inventa un problème de probabilité qui reste d'actualité, connu sous le nom des Boîtes de Bertrand. L'hypothèse de départ est simple. Imaginez trois boîtes identiques. Chacune contient deux pièces de monnaie, de forme identique, mais dans une boîte les pièces sont en or, dans une autre elles sont en argent, et dans la troisième boîte, l'une est en or et l'autre en argent.

Les boîtes sont mélangées, et l'on vous donne, au hasard, une pièce de l'une des boîtes. Cette pièce est en or. Pouvez-vous dire quelle est la probabilité que l'autre pièce dans la même boîte soit aussi en or ?

Solution page 226

« Seules deux choses sont infinies, l'univers et la stupidité humaine, et en ce qui concerne l'univers, je n'en suis pas sûr. »

ALBERT EINSTEIN

93

CHAUD ET FROID

Si vous enveloppez un thermomètre dans un manteau en laine épaisse et le laissez un bon bout de temps, la température ne va pas monter. Pourtant, si vous vous enveloppez du même manteau, il va vous réchauffer. Comment cela se fait-il ?

Solution page 227

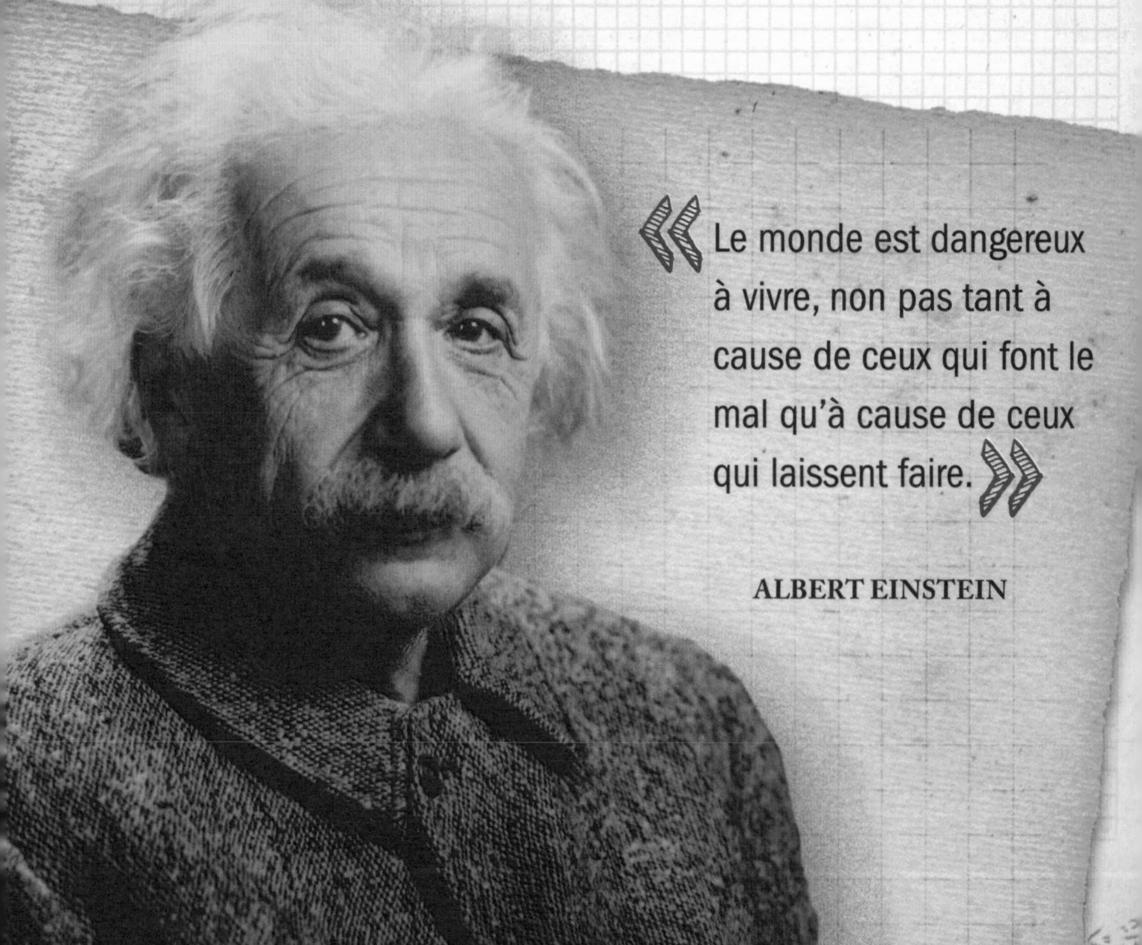

« Le monde est dangereux à vivre, non pas tant à cause de ceux qui font le mal qu'à cause de ceux qui laissent faire. »

ALBERT EINSTEIN

94

CLAIR-OBSCUR

Maintenant que nous avons complètement dompté l'obscurité dans nos foyers et nos rues, la nuit a pris un charme indéniable. Le familier est rendu étrange par les modifications d'éclairage et l'absence de détails, et chaque recoin est la promesse de nouvelles découvertes. Marcher dans la nuit est un retour en enfance, quand le monde était moins sûr et que la rencontre de nouvelles merveilles semblait inéluctable. Imaginez que la nuit soit tombée et que vous marchiez dans une rue plane, éclairée par un seul réverbère. Quand vous passez au pied du réverbère et vous en écartez, votre ombre est projetée devant vous, bien visible. À quelle vitesse le haut de votre ombre se déplace-t-il par rapport à votre propre allure si le réverbère est deux fois plus haut que vous ?

Solution page 227

95

TEST DE LOGIQUE

Pour cette épreuve, aucune connaissance du fonctionnement du monde n'est nécessaire. Seule votre capacité à penser logiquement sera testée.

Cinq personnes partent pour des voyages lointains avec divers compagnons. À partir des informations données ci-dessous, pouvez-vous dire qui a visité l'Antarctique et avec qui ?

Taylor part pour l'île Maurice avec un collègue ou un parent. Felicia part en vacances avec un cousin ou un ami. La destination en Argentine est soit un lodge soit une ville. La villa se trouve au Japon ou en Argentine, et soit Lindsey soit Lorrie s'y rend. L'avant-poste est visité avec un ami ou un collègue. La personne qui réside à l'hôtel ou au lodge est accompagnée de son frère. Yolanda va au Japon ou en Islande avec un cousin ou un collègue et réside dans l'avant-poste ou dans une ville. Lorrie réside dans un avant-poste ou une villa, avec son frère ou un collègue.

Personne	Lieu	Type de résidence	Compagnon de voyage

Solution page 228

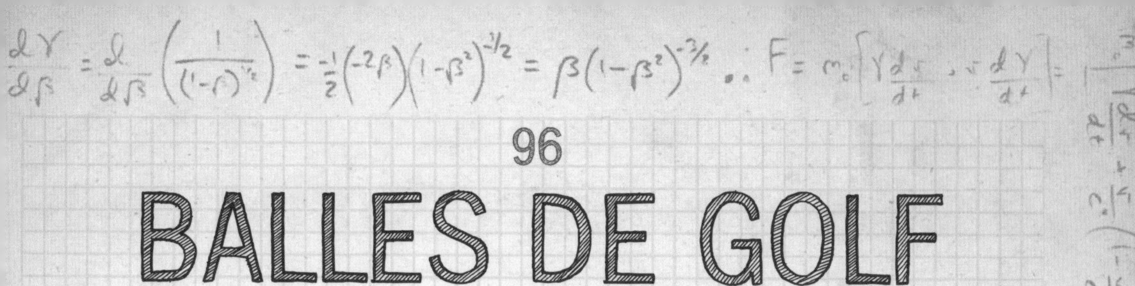

96

BALLES DE GOLF

Pour nous, les balles de golf sont des balles alvéolées luisantes, recouvertes d'une couche dure de polyuréthane. Mais les matériaux sont révisés et modernisés en permanence et les balles à alvéoles ont été mises en production en 1905. Jusqu'au milieu du XIXe siècle, les balles de golf étaient des poches en cuir (grossièrement) sphériques rembourrées de plumes bouillies. Elles furent dépassées en 1848, quand Paterson découvrit la sève du sapotillier qu'on pouvait chauffer pour obtenir une résistance supérieure. Ses balles en gutta-percha, les « gutties », détrônèrent rapidement les « featheries » (« plumeries »). Mais ce n'est qu'au XXe siècle que les joueurs découvrirent qu'une balle alvéolée volait quatre fois plus vite qu'une balle sans alvéoles, par ailleurs identique, et elle devint la norme.

Quel est donc le rôle des alvéoles ?

Solution page 228

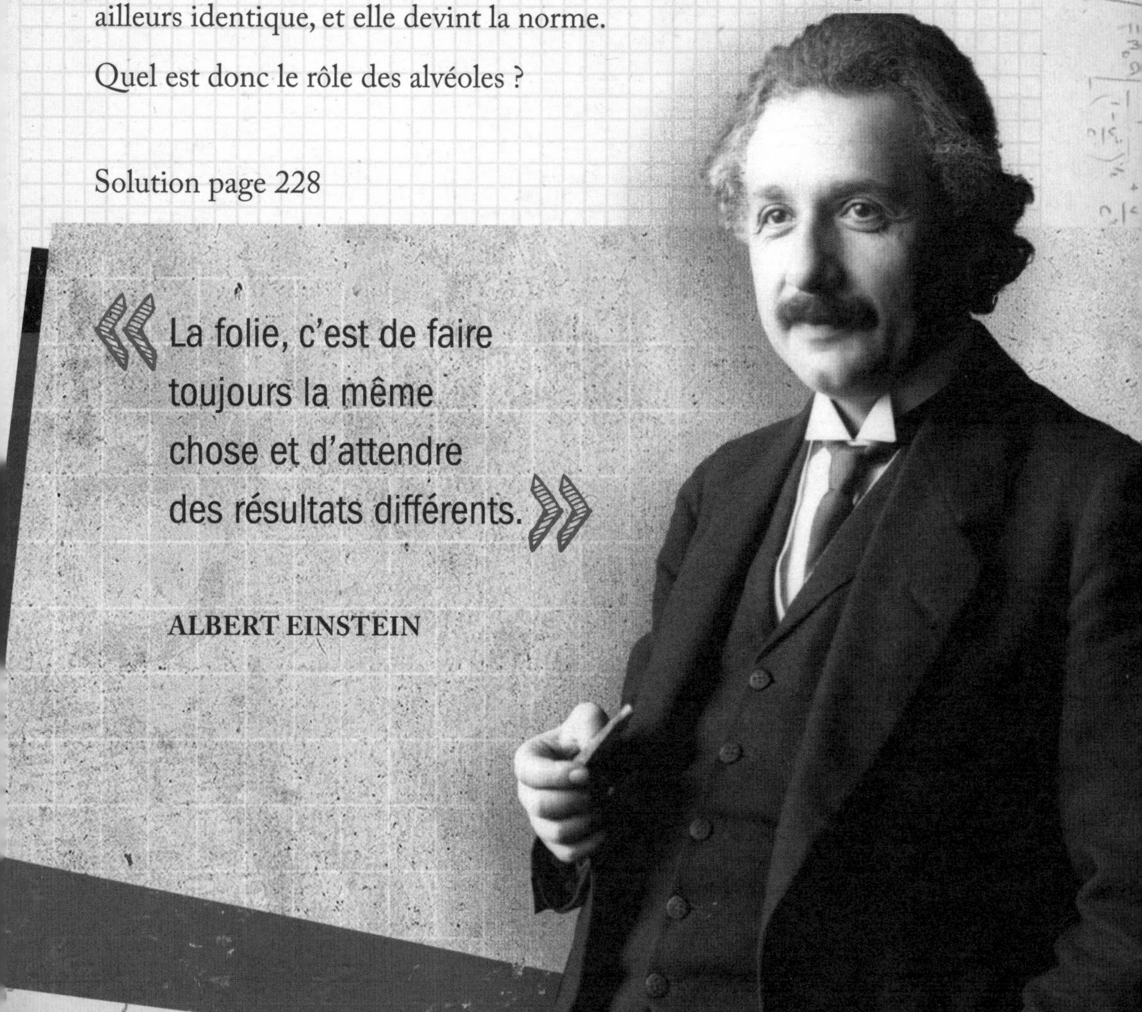

« La folie, c'est de faire toujours la même chose et d'attendre des résultats différents. »

ALBERT EINSTEIN

97

SAUTER D'UN BUS EN MARCHE

Commençons par préciser qu'il ne faut jamais tenter de sauter d'un véhicule en marche. L'issue est potentiellement mortelle et toute autre solution doit être choisie en priorité.

Cela dit, supposons un terrible cas de force majeure, et que vous deviez sauter d'un bus qui roule à sa vitesse normale. En partant du principe qu'aucun poteau, arbre, piéton ou obstacle quelconque ne s'y oppose, dans quelle direction est-il préférable de sauter ?

Solution page 229

98

LOGIQUE ANIMALE

Plusieurs affirmations sont énoncées ci-dessous. Vous pouvez partir du principe – pour la résolution de ce problème – qu'elles sont absolument vraies. À partir de ces informations, vous devriez être en mesure de répondre à la question qui suit.

Les animaux sont toujours mortellement offensés si je ne leur prête pas attention.

Les seuls animaux qui m'appartiennent sont dans ce champ.

Aucun animal ne peut résoudre une énigme, à moins d'avoir été correctement formé à l'école.

Aucun animal dans ce champ n'est un blaireau.

Quand un animal est mortellement offensé, il court toujours partout en hurlant.

Je ne prête jamais attention à un animal, à moins qu'il ne m'appartienne.

Aucun animal qui a été correctement formé à l'école ne court partout en hurlant.

Les blaireaux savent-ils résoudre des énigmes ?

Solution page 230

99

STADE DE ZÉNON

Dans un autre exercice mental paradoxal, Zénon présente la situation suivante. Deux lignes de cinq coureurs courent autour d'un stade, tous à la même vitesse. Un groupe court dans le sens horaire, l'autre dans le sens antihoraire. Ils sont observés par une ligne de cinq spectateurs, immobiles. Toutes les lignes de cinq personnes sont de la même longueur.

Les deux lignes de coureurs se croisent quand elles passent devant les spectateurs. Au moment où le premier des coureurs dans le sens horaire croise toute la ligne des coureurs dans le sens antihoraire, le premier des coureurs dans le sens antihoraire passe la moitié de la ligne des spectateurs. Cependant, comme il a été précisé, les deux lignes de coureurs se déplacent à la même vitesse.

D'après Zénon, cela signifie que les coureurs dans le sens antihoraire ont besoin de deux fois plus de temps pour couvrir la même distance que les coureurs dans le sens horaire, alors qu'ils se déplacent à la même vitesse. Ceci est impossible et ainsi, en déduit-il, le temps est une illusion.

Que pouvez-vous objecter à son argument ?

Solution page 231

100

DES BULLES

Aventurons-nous dans le royaume de la spéculation pure. Imaginez que l'Univers que nous connaissons ait été totalement détruit. Dans l'immensité infinie de l'espace, il ne reste rien d'autre que deux sphères d'eau, de taille identique, à une distance incalculable l'une de l'autre. Comme il n'existe absolument rien d'autre, les deux sphères seraient inévitablement attirées l'une vers l'autre par leurs gravités respectives. Le processus serait extraordinairement lent, mais les deux sphères finiraient par se rejoindre. Maintenant, inversons la situation. L'Univers entier n'est qu'un réservoir infini d'eau pure, de densité homogène. Il n'existe rien d'autre que deux bulles sphériques d'air terrestre frais, également à une distance incalculable l'une de l'autre. Comment les bulles se déplaceraient-elles, si elles se déplaçaient ?

Solution page 231

101
UN OVALE PARFAIT

Nombre de tâches modernes banales auraient été des merveilles incroyables dans un lointain passé. Maintenant, c'est l'affaire d'un instant de tracer un cercle géométrique si parfait qu'il ferait pleurer un artisan de l'Antiquité. Les premiers compas que nous connaissons viennent de la civilisation nuragique de Sardaigne, datant de l'âge du Bronze, quelque 1 500 av. J.-C. Trois mille cinq cents ans plus tard, un cercle parfait n'a rien d'extraordinaire. Il suffit d'une feuille de papier et d'un compas à mine.

Comment utiliseriez-vous les mêmes éléments pour tracer un ovale géométrique ?

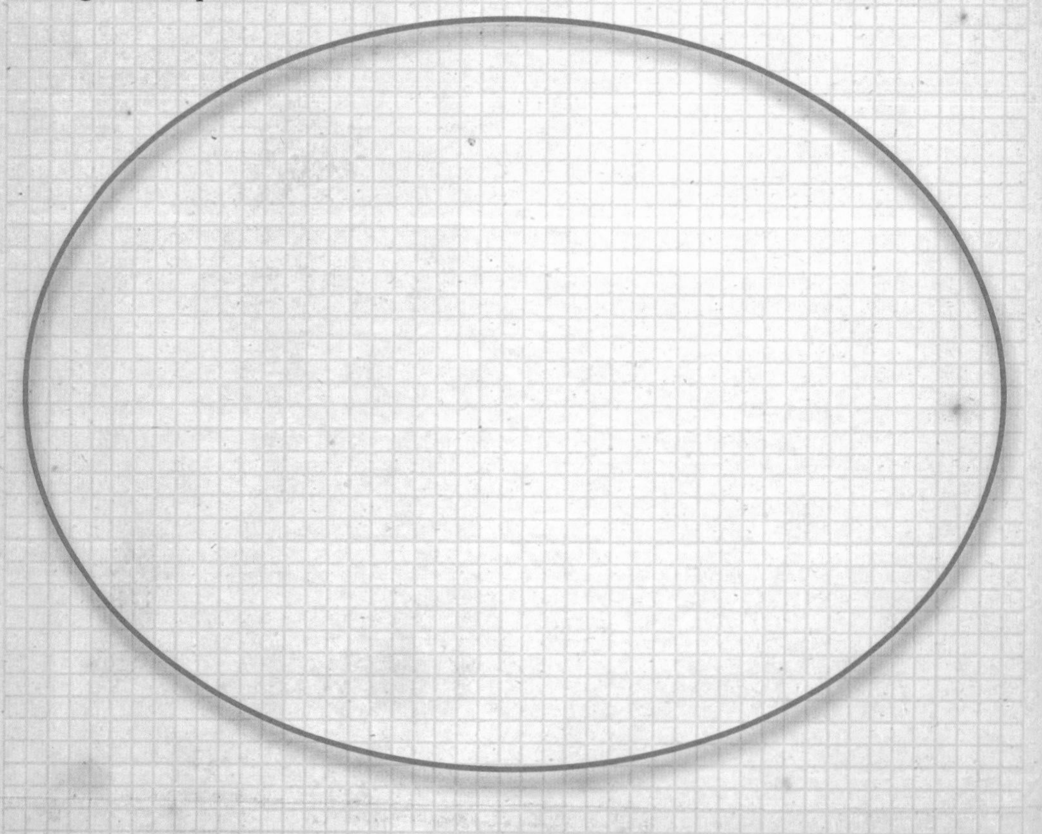

Solution page 232

102

TEXTE CRYPTÉ

Dans cette énigme, le jeu consiste à déchiffrer une citation rendue sibylline par un simple code. Pouvez-vous découvrir le contenu du texte ?

19142	85699	54531	95312	95925
51279	63455	31335	41755	45954
55498	35913	64451	33541	54523
16915	35453	31959	18351	51391
39267	55434	65454	19119	41285
69955	12613	11531	69153	54991
83515	13913	51335	41545	23133
54175	54533	19591	83515	13913
51396				

Solution page 233

103

IMPOSSIBLE

Imaginez un instant que vous coupiez une carte à jouer en deux et posiez les deux moitiés l'une sur l'autre. Vous répétez l'opération : vous coupez les demi-cartes en deux et formez un tas de quatre morceaux. Puis vous recommencez jusqu'à un total de 52 fois.

D'après vous, la pile obtenue mesurerait-elle plus ou moins d'un kilomètre de haut ?

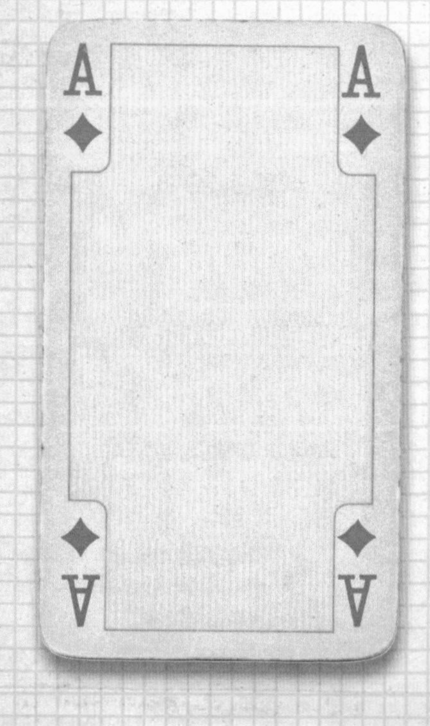

Solution page 233

104

LE CHAT DE SCHRÖDINGER

L'expérience de pensée d'Erwin Schrödinger est devenue l'une des formulations les plus célèbres de la mécanique quantique, théorie qui étaie la compréhension moderne de l'Univers. Elle est assez simple dans son principe.

Imaginez un chat dans une boîte en acier, avec une machine qui libère un gaz mortel dès qu'elle détecte la désintégration d'un atome d'un corps radioactif – un procédé totalement irréalisable. Il n'y a aucun moyen d'observer le chat ou de savoir si le dispositif s'est déclenché ou non. Au bout d'une heure, il y a 50 % de chances qu'il y ait eu désintégration et que le chat soit mort.

Après une heure, dans quel état sera le chat ?

Solution page 234

105

LA BALANCE

Quand il s'agit de nous peser, nous considérons de nombreuses hypothèses comme allant de soi. Généralement, nous sommes tellement soucieux de vérifier qu'il n'a pas augmenté que nous bannissons toute autre considération de nos esprits. Peu d'entre nous se demandent ce que notre poids signifie vraiment, au niveau de la physique qui sous-tend la réalité. La plupart des gens passent leur vie dans des lieux qui ont en gros la même relation avec la planète. Il n'est donc pas vraiment nécessaire de se soucier de la distance au centre de la Terre, ou de la pression atmosphérique, ou du rapport entre le poids et la masse. Mais les balances sont étonnamment sensibles à toutes sortes de conditions, pas seulement cosmiques. Pour obtenir une lecture précise d'une balance, vous devez vous tenir droit dessus, sans bouger. Si vous vous penchez, la balance sous-estimera votre poids. Pourquoi donc ?

Solution page 235

106

PENSÉE LOGIQUE

Pour cette épreuve, aucune connaissance du fonctionnement du monde n'est nécessaire. Seule votre capacité à penser logiquement sera testée.

Cinq enfants sont souffrants. À partir des informations données ci-dessous, pouvez-vous dire quelle maladie touche l'enfant au pyjama jaune et quel est son traitement ?

L'enfant en pyjama rouge reçoit un livre comme traitement. L'enfant qui a la rougeole (ni Billie ni Frankie) reçoit un jouet. Alexis a les oreillons. Un autre enfant (en pyjama vert) reçoit la visite d'un ami qui a déjà eu sa maladie. Un enfant reçoit de la confiture. Frankie porte un pyjama orange et n'a pas une angine. Lee a la scarlatine et ne porte pas un pyjama vert. L'enfant qui a la varicelle ne reçoit pas de crème glacée. L'enfant en pyjama bleu n'est ni Robin ni Lee.

Enfant	Maladie	Traitement	Couleur de pyjama

Solution page 236

107
PROBLÈME DE POIDS

Après avoir évoqué les nombreux préjugés inconscients que nous avons au sujet de notre poids, il est temps maintenant de les ramener au premier plan. Imaginez que vous soyez en possession d'une sphère de fer de 1 kg – 1 kg signifie ici l'équivalent de la masse du « prototype international du kilogramme », objet physique qui, à l'heure de la publication de cet ouvrage, est la définition du terme « kg ».

Maintenant, poursuivez l'effort d'imagination et partez du principe que, sous les premiers centimètres de terre arable, la substance de la Terre est d'une densité parfaitement constante – c'est-à-dire que si vous prélevez un mètre cube de matière à deux endroits pris au hasard sous la surface solide de la Terre, les deux seraient de masse identique. En considérant cette uniformité de densité, où votre kilogramme de fer sphérique pèserait-il le plus lourd ? Au sommet d'une montagne ? À une grande profondeur sous terre ? Ou dans un endroit complètement différent ?

Solution page 237

« Un nouveau mode de pensée est essentiel si l'humanité veut survivre et atteindre un plan plus élevé. »

ALBERT EINSTEIN

108

LA FLÈCHE DE ZÉNON

Dans son paradoxe de la flèche, Zénon fait remarquer qu'une flèche au repos occupe un point fixe de l'espace. En vol, elle occupe également un certain point fixe. Ainsi, à chaque instant, la flèche est immobile. Si elle se déplaçait pendant cet instant, vous pourriez diviser cet instant en instants plus petits « avant » et « après ». D'après lui, cela démontre que la flèche n'est en fait jamais en mouvement, ce qui signifie que le mouvement est entièrement illusoire ou se produit entre les instants, en dehors du temps.

Qu'est-ce qui cloche ?

Solution page 237

CHAPITRE 5

“« L’une des motivations les plus puissantes qui ont conduit les hommes vers l’art et la science est d’échapper à la pénible médiocrité de la vie quotidienne, à sa monotonie désespérante et aux chaînes de ses désirs individuels toujours changeants. Une nature bien trempée aspire à échapper à la vie personnelle pour gagner le monde de la perception et de la pensée objective. »

ALBERT EINSTEIN

109

TOTALEMENT VÉRIDIQUE

Plusieurs affirmations sont énoncées ci-dessous. Vous pouvez partir du principe – pour la résolution de ce problème – qu'elles sont absolument vraies. À partir de ces informations, vous devriez être en mesure de répondre à la question qui suit.

Je ne mets jamais dans mon dossier un chèque que je reçois, à moins que je ne sois inquiet à son sujet.

Tous les chèques que je reçois qui ne sont pas marqués d'une croix sont payables au porteur.

Aucun des chèques que je reçois ne m'est jamais retourné, à moins qu'il ne soit refusé par la banque.

Tous les chèques que je reçois qui sont marqués d'une croix dépassent un montant de 100 €.

Tous les chèques que je reçois qui ne sont pas dans mon dossier portent la mention « non négociable ».

Aucun de vos chèques que j'ai reçus n'a jamais été refusé par la banque.

Je ne suis jamais inquiet au sujet d'un chèque que je reçois, à moins qu'il ne m'ait été renvoyé.

Aucun des chèques que je reçois qui portent la mention « non négociable » ne dépasse un montant de 100 €.

Vos chèques que j'ai reçus sont-ils payables au porteur ?

Solution page 240

110

INSTINCT DE SURVIE

Des conditions précaires fournissent souvent une excellente occasion de réfléchir aux règles du monde physique, en tant qu'abstraction. En pratique, il en va bien sûr tout autrement. Quand votre vie est en danger imminent, il est difficile d'admirer les lois de la nature. L'instinct de survie l'emporte sur la curiosité scientifique, sauf chez les chercheurs les plus inconscients.

Pour cet exemple, imaginez que vous vous trouviez dans une barque, à bonne distance du rivage, sans provisions ni rame, voile, ventilateur ni tout autre moyen de propulsion. Pour des raisons que je laisse à votre imagination, vous ne pouvez pas ou ne voulez pas avoir le moindre contact physique avec l'eau ; il est donc hors de question de nager ou de pagayer. Une corde est toutefois attachée à l'avant de la barque. Si vous prenez l'autre extrémité de la corde et la tirez sèchement, ferez-vous avancer la barque ?

Solution page 240

111

CENT

Considérez cette formulation numérique assez étrange :

1 2 3 4 5 6 7 8 9 = 100

Vous pouvez la rendre valide de différentes façons en ajoutant des opérateurs mathématiques. Par exemple, 1 + 2 + 3 + 4 + 5 + 6 + 7 + (8 x 9) = 100. Dans ce cas, vous utilisez neuf opérateurs – une paire de parenthèses, un signe de multiplication et sept signes d'addition. Mais vous pouvez obtenir un résultat juste avec moins d'opérateurs.

Notez que vous êtes autorisé à utiliser aussi les signes de soustraction et de division. Vous pouvez aussi associer les nombres adjacents en une valeur unique – 2 et 3 deviennent 23. Une association de ce type ne compte pas comme utilisation d'un opérateur.

En suivant ces règles, vous pouvez équilibrer l'équation avec trois opérateurs seulement. Voyez-vous comment ?

1234689

Solution page 241

112

SOUS PRESSION

Nous prenons rarement conscience de la pression de l'air, hormis peut-être quand elle est exceptionnellement élevée ou contribue à une météo inhabituelle. Elle nous semble inexistante la plupart du temps, comme une sorte de toile de fond neutre que nous connaissons intellectuellement, mais sans force réelle. Nous remarquons l'air quand le vent souffle violemment, s'il gêne nos mouvements ou agite les arbres. Cependant, nous le considérons en général comme intangible et invisible, une espèce de néant qui nous fournit l'oxygène vital.

Cette hypothèse générale est néanmoins complètement fausse. L'air est beaucoup plus lourd que nous ne le ressentons et exerce une pression permanente sur nous. La vérité étrange est que nous vivons en réalité au fond d'un énorme réservoir de gaz lourds, tout comme d'étranges animaux vivent au fond des mers les plus profondes. Du point de vue d'une hypothétique créature extraterrestre, la surface de la Terre et les profondeurs de l'océan seraient tout aussi menaçantes. La pression atmosphérique sur un humain de taille moyenne peut dépasser un poids de douze tonnes et nous supportons continuellement cette force.

Pourquoi ne sommes-nous pas écrasés instantanément ?

Solution page 241

113

LOGIQUE PURE

Pour cette épreuve, aucune connaissance du fonctionnement du monde n'est nécessaire. Seule votre capacité à penser logiquement sera testée.

Plusieurs personnes se rendent au marché et toutes achètent des œufs au producteur d'œufs bio. À partir des informations données ci-dessous, pouvez-vous dire combien d'œufs Bertha a achetés et de quelle sorte ?

Megan porte du noir. Quelqu'un achète six œufs d'oie. La personne au manteau bleu – ce n'est pas Byron – achète 15 œufs. Lou achète des œufs de poule, trois œufs de plus que la personne au manteau jaune. Franklyn achète 12 œufs, qui ne sont pas des œufs de dinde. Les œufs de caille ne sont pas achetés par Megan, ni par les personnes au manteau jaune ou blanc. La personne au manteau rose achète des œufs de cane. Une personne achète trois œufs et une autre en achète neuf.

Personne	Nombre d'oeufs	Type d'oeufs	Couleur du manteau

Solution page 242

114

POP-POP

Les bateaux « pop-pop » étaient autrefois des jouets très populaires. Il en existe encore aujourd'hui, mais à notre époque moderne de véhicules télécommandés, ils sont délicieusement désuets. Ils étaient généralement en métal avant cette ère du plastique, peints de couleurs vives et de taille à naviguer dans une baignoire ou une petite pièce d'eau. La conception interne des bateaux « pop-pop » est très simple. Ils contiennent un petit brûleur placé sous une chaudière en métal, elle-même reliée à un tuyau d'échappement. Ce tube sort à l'arrière du bateau, sous la ligne de flottaison. Pour que le bateau fonctionne, il suffit de remplir le tuyau d'échappement et la chaudière d'eau, et d'allumer le brûleur sous la chaudière. Une fois que le dispositif est chaud, le bateau s'élance sur l'eau avec des accélérations saccadées. Il doit son nom à son bruit typique.

Comprenez-vous son fonctionnement ?

Solution page 242

115

TEXTE CRYPTÉ

Dans cette énigme, le jeu consiste à déchiffrer une citation rendue sibylline par un simple code. Pouvez-vous découvrir le contenu du texte ?

LNLZH FTASR VMFVE ZGOBL WRRMT GSCRM IVEZO

HVAOU IHTVO UZTPH JSIHD BDRZE URELO QQTDM

NBOLD IYUSK ZNJOO FOOPC OBUKU XIRTE KDSTV

SSLDB NKETD IYSRT LBHZM ZEOVD PLMIT XGMDV

TGESL FOSWZ ARDMW LVEWV KRPTU UZEET STCUY

RADSR NNEXW ALMTD WKOLL ZZRWC OBAGS BLLSQ

YAIVP ZLTUU FREZR

Solution page 243

116

LE GRAND HÔTEL

En 1947, le mathématicien George Gamow attribua son paradoxe du Grand Hôtel au mathématicien allemand David Hilbert, l'un des plus éminents penseurs des mathématiques du début du xxe siècle.

Dans ce paradoxe, le Grand Hôtel possède un nombre infini de chambres, et chacune est occupée. Arrive un car complet de nouveaux hôtes qui exigent d'être logés dans des chambres individuelles. Le directeur de l'hôtel acquiesce et, après quelques manipulations, loge tous les nouveaux arrivants, sans devoir demander à aucun hôte déjà présent de partir ou de partager sa chambre.

Comment s'y est-il pris ?

Solution page 243

117

SÉRIE

Cette énigme de série va tester votre capacité à faire correspondre des modèles. La série de lettres qui suit a une raison très précise. Pouvez-vous la trouver et trouver la lettre suivante dans la liste ?

A D G J M ...?

ABCDEFG
HIJKLMN
OPQRSTU
VWXYZ

Solution page 245

118

RÉFLÉCHIR LOGIQUEMENT

Plusieurs affirmations sont énoncées ci-dessous. Vous pouvez partir du principe – pour la résolution de ce problème – qu'elles sont absolument vraies. À partir de ces informations, vous devriez être en mesure de répondre à la question qui suit.

Dans cette pièce, toutes les lettres datées sont écrites sur du papier bleu.

Dans cette pièce, aucune des lettres n'est écrite à l'encre noire, sauf celles qui sont rédigées à la troisième personne.

Je n'ai classé aucune des lettres de cette pièce que je peux lire.

Dans cette pièce, aucune des lettres écrites sur une feuille de papier n'est sans date.

Il y a un recoupement précis entre les lettres raturées et l'encre noire.

Dans cette pièce, toutes les lettres écrites par Brown commencent par « Cher Monsieur ».

Dans cette pièce, toutes les lettres écrites sur du papier bleu sont classées.

Dans cette pièce, aucune des lettres écrites sur plusieurs feuilles n'est raturée.

Dans cette pièce, aucune des lettres qui commencent par « Cher Monsieur » n'est rédigée à la troisième personne.

Puis-je lire les lettres de Brown ?

Solution page 246

PARADOXE DE BERRY

En 1927, le philosophe gallois Bertrand Russell formula un paradoxe conçu par George Godfrey Berry, bibliothécaire de l'université d'Oxford. Berry signala qu'il existe un nombre limité de mots, donc il y a une limite stricte au nombre de phrases possibles comprenant jusqu'à 12 mots. Il existe toutefois une infinité de nombres entiers. Cela devait impliquer qu'il existe un nombre entier positif qui n'est pas définissable en 12 mots ou moins. Cependant, ce nombre pouvait alors être défini comme « le plus petit entier naturel non définissable en 12 mots ou moins » - une définition de 12 mots.

Le paradoxe est alors qu'il doit exister un plus petit entier naturel non définissable en 12 mots ou moins – mais le fait même de l'existence de ce nombre signifie qu'il ne peut pas en réalité être le plus petit entier naturel non définissable en 12 mots ou moins. Y a-t-il une solution à ce paradoxe ?

Solution page 246

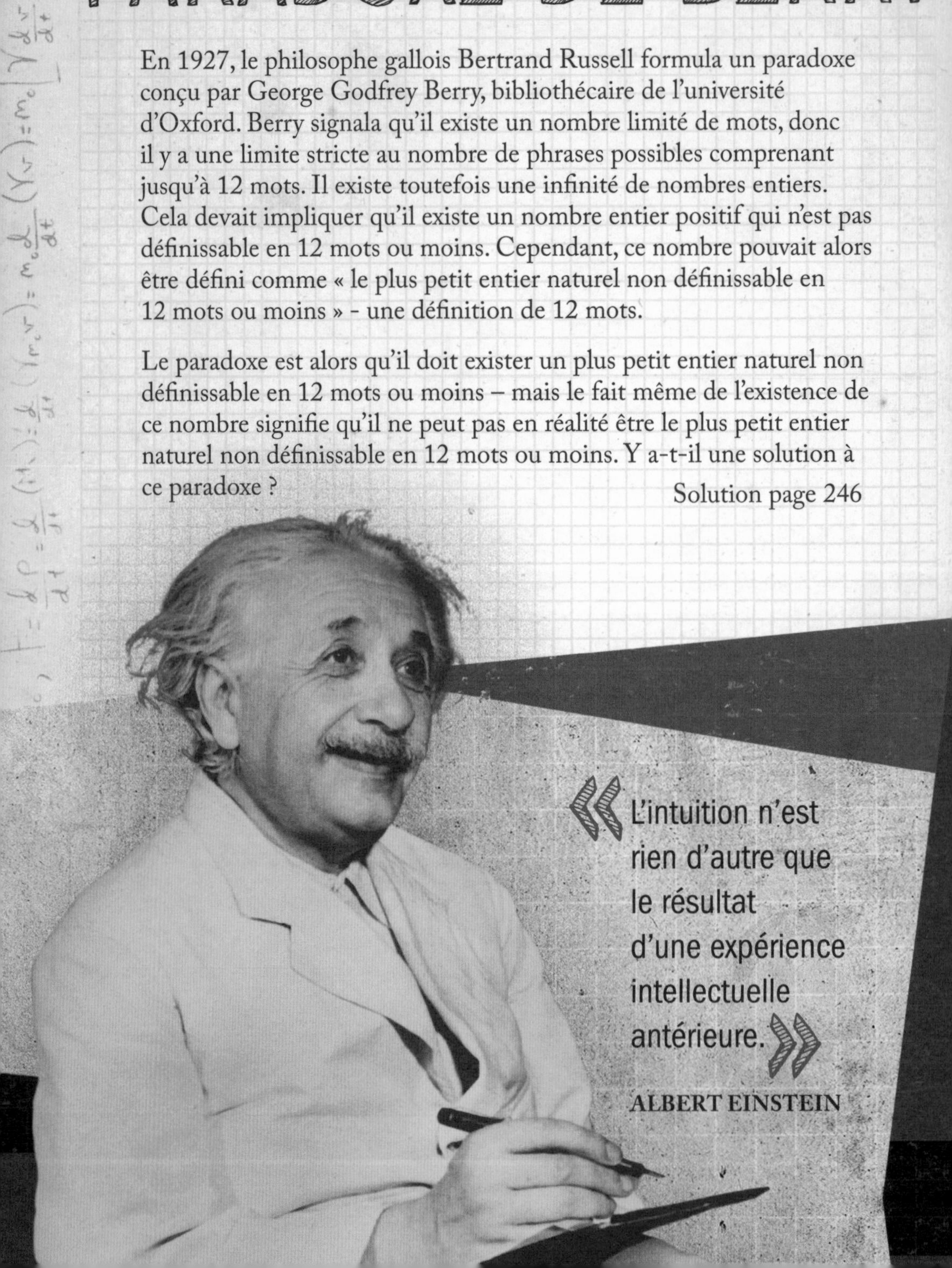

« L'intuition n'est rien d'autre que le résultat d'une expérience intellectuelle antérieure. »

ALBERT EINSTEIN

120

BALISTIQUE

Imaginez un fusil hypothétique, installé sur une grande plaine déserte sur Terre, devenue un vide, on ne sait comment. La gravité reste néanmoins normale. Le fusil étant installé pour viser à 45°, une balle quittant le canon à 620 m/s atterrirait à presque 40 km, en ayant atteint 10 km de hauteur.

Quelle distance pensez-vous que la balle pourrait une fois que la plaine sera revenue à une densité d'air normale ?

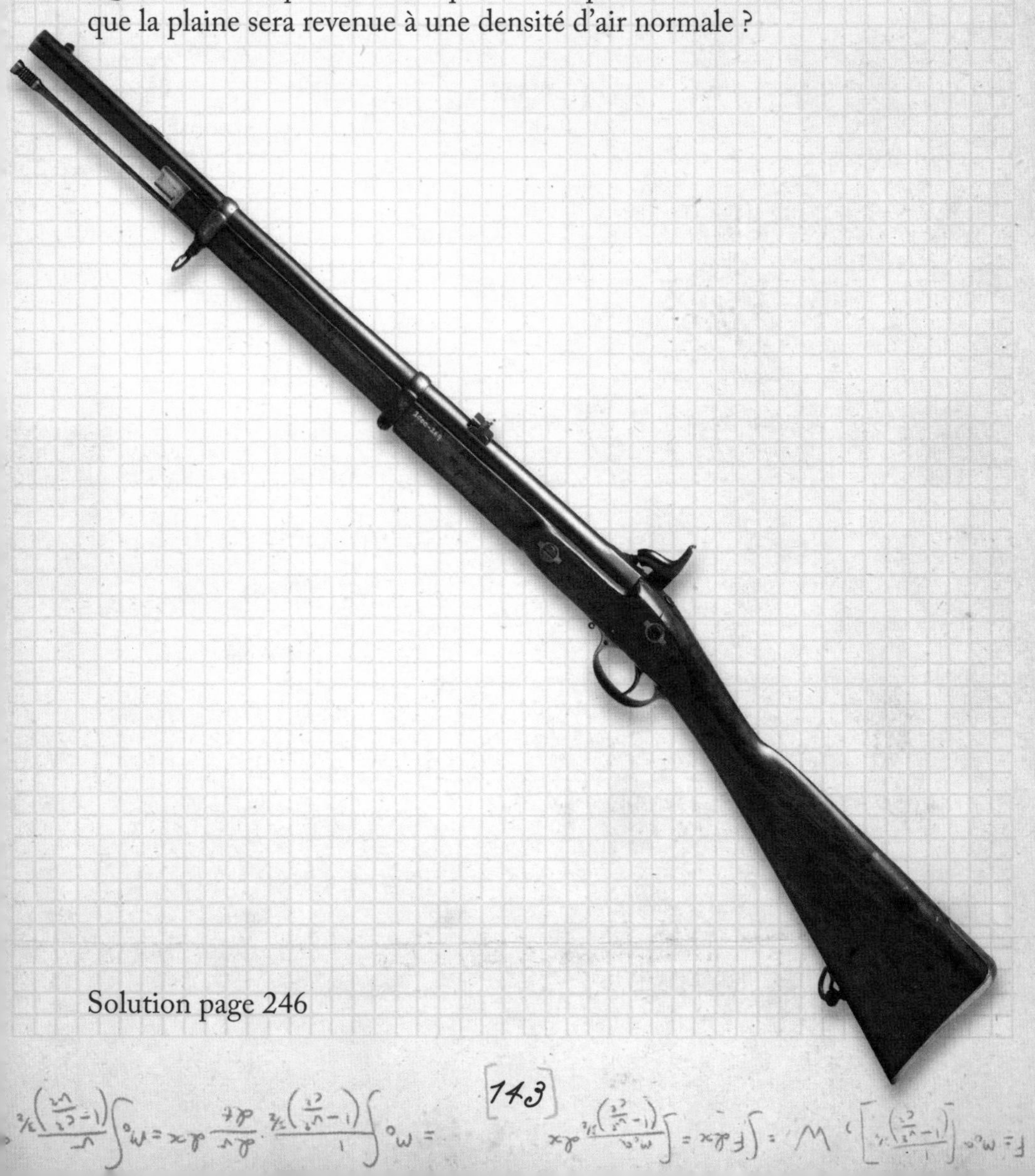

Solution page 246

121
TEMPS ET MARÉE

On nous dit que les marées de l'océan sont causées principalement par l'attraction gravitationnelle de la Lune sur la Terre. Mais il y a deux marées hautes par jour dans de nombreux lieux et, si un lieu sur Terre est à marée haute, il en va généralement de même sur le côté opposé de la planète. L'eau qui s'enfle vers la Lune semble raisonnable, mais pourquoi l'eau s'enfle-t-elle également aux antipodes ?

Solution page 247

« Pour autant que les lois mathématiques se rapportent à la réalité, elles ne sont pas certaines, et pour autant qu'elles sont certaines, elles ne se rapportent pas à la réalité. »

ALBERT EINSTEIN

122

ÉPREUVE DE LOGIQUE

Pour cette épreuve, aucune connaissance du fonctionnement du monde n'est nécessaire. Seule votre capacité à penser logiquement sera testée.

Cinq personnes se rencontrent régulièrement à la cafétéria. À partir des informations données ci-dessous, pouvez-vous dire qui boit du thé et ce qu'ils font ici ?

La personne qui fait partie d'un groupe de lecture aime boire des jus de fruit. Saldana boit de l'eau. Elle n'aime pas les cookies au chocolat. Quelqu'un joue dans une pièce. La personne qui aime les biscuits au gingembre suit un cours d'arts plastiques. Ce n'est ni Saldana ni Nessa. Vilma aime les petits-beurre, mais ne boit pas de soda. La personne qui mange des biscuits fourrés aux fruits n'apprend pas l'anglais. La personne qui aime le café n'est ni Tripp ni Vilma. La personne qui discute de métaphysique aime boire des sodas. Ce n'est pas Tristan, qui aime les sablés.

Personne	Activité	Biscuit	Boisson

Solution page 247

123

LA CONGÈRE

La première apparition de la neige chaque hiver a quelque chose de magique. Nous nous éveillons et découvrons que le monde semble être tout neuf et propre. Le merveilleux est toujours présent dans les tours de passe-passe de la nature. De plus, la neige offre un accès facile à la créativité – comme si partout autour de vous, vous disposiez d'une pâte à modeler qui ne colle pas aux doigts. Rien d'étonnant à ce que la majorité d'entre nous ressente un ravissement d'enfant.

Si vous vivez dans une région où des congères se forment en hiver, vous aurez sans doute observé que, proportionnellement, beaucoup plus de neige s'amoncelle contre un poteau téléphonique ou une haie que contre le pignon d'une maison voisine. L'intuition suggèrerait l'inverse – que le mur, beaucoup plus grand, amasserait plus de neige qu'un poteau mince.

Voyez-vous une explication ?

Solution page 248

124

HYPOTHÈSE LOGIQUE

Plusieurs affirmations sont énoncées ci-dessous. Vous pouvez partir du principe – pour la résolution de ce problème – qu'elles sont absolument vraies. À partir de ces informations, vous devriez être en mesure de répondre à la question qui suit.

Tout animal fait un bon animal de compagnie s'il contemple la lune.

Quand je déteste un animal, je l'évite.

Aucun animal n'est carnivore, à moins qu'il ne chasse la nuit.

Aucun chat ne manque de tuer des souris.

Aucun animal n'a d'affection pour moi, excepté ceux de cette maison.

Les kangourous ne font pas de bons animaux de compagnie.

Seuls les carnivores tuent des souris.

Je déteste les animaux qui n'ont pas d'affection pour moi.

Les seuls animaux de cette maison sont des chats.

Les animaux qui chassent la nuit aiment contempler la lune.

Est-ce que j'évite les kangourous ?

Solution page 248

125

PEPYS-NEWTON

À la fin des années 1680, Samuel Pepys et Isaac Newton entamèrent un débat sur les lancers de dés. Président de la Royal Society of London for the Improvement of Natural Knowledge (Société royale de Londres pour l'amélioration du savoir naturel), et administrateur très efficace de la Royal Navy, Pepys connaissait bien l'expertise de Newton dans le domaine des mathématiques. Effectivement, la première édition du célèbre *Principia Mathematica* de Newton portait l'imprimatur de Pepys, qui lui apportait son soutien et en garantissait la haute qualité. Donc, quand il organisa un pari, Pepys se tourna naturellement vers Newton pour avoir son avis. Il réfléchissait à des paris basés sur trois séries de lancers de dés – lancer six dés pour obtenir au moins un 6, lancer douze dés pour obtenir au moins deux 6, lancer dix-huit dés pour obtenir au moins trois 6. Il estimait que la plus grande série donnerait le maximum de chances de succès et voulait l'opinion de Newton. Et vous, qu'en pensez-vous ?

Solution page 249

126

SÉRIE

Cette énigme de série va tester votre capacité à faire correspondre des modèles. La série de lettres qui suit a une raison très précise. Pouvez-vous la trouver et trouver la lettre suivante dans la liste ?

D N O S A J ...?

ABCDEFG
HIJKLMN
OPQRSTU
VWXYZ

Solution page 250

127

VOYAGE TEMPOREL

Il y a beaucoup de confusions au sujet de la relativité. Prenez deux anciennes montres de gousset à remontoir, identiques à tous égards. Toutes deux sont bien remontées, fonctionnent normalement et sont réglées exactement sur la même heure. Toutes deux sont placées dans des pièces normales, à une température constante de 20 °C et remontées régulièrement. Une pièce est située au niveau de la mer, l'autre en montagne, à une altitude de 1 200 m.

Au bout de deux semaines, on compare les montres. Celle qui se trouve en montagne avance considérablement par rapport à sa jumelle. Par la suite, remises à l'heure et placées dans la même pièce, les deux montres indiquent la même heure.

Comment cela se fait-il ?

Solution page 251

128

TEXTE CRYPTÉ

Dans cette énigme, le jeu consiste à déchiffrer une citation rendue sibylline par un simple code. Pouvez-vous découvrir le contenu du texte ?

```
PUATN  QEELI  MTEAI  USEAP  RETLR
AIELE  NSNPS  ETIEE  PUATN  QELSO
TETIE  ELSEO  ELSEE  APRET  AAAEL
TOURA  TULSO  SAHMT  QESRP  OTNAA
ELTEL  SEOAT  CRANS  TORUA  TULES
NCRAN  SLENS  NLENS  RPOTN  PSLRA  IE
```

Solution page 251

129

ATTRACTION GRAVITATIONNELLE

Comme nous le savons tous, la Lune tourne autour de la Terre et nous tient compagnie dans notre randonnée autour du Soleil. Elle est inhabituellement grosse pour un satellite (comparée à sa planète mère), puisqu'elle fait un quart du diamètre de la Terre et environ un huitième de sa masse – proportionnellement, aucune des autres lunes du système solaire n'est plus importante. Sa rotation est synchrone avec sa révolution autour de la Terre, aussi elle nous montre toujours la même face. Cette rotation synchrone résulte des forces de marée et non d'une coïncidence mystique, mais reste un joli facteur. Mais vous êtes-vous déjà demandé pourquoi la Lune reste avec nous ? L'attraction gravitationnelle du Soleil sur la Lune est plus de deux fois supérieure à l'attraction de la Terre sur la Lune ; pourquoi donc la Lune ne s'est-elle pas envolée vers le Soleil ?

Solution page 252

130

SÉRIE

Cette énigme de série va tester votre capacité à faire correspondre des modèles. La série de lettres qui suit a une raison très précise. Pouvez-vous la trouver et trouver la lettre suivante dans la liste ?

N E R U I I ...?

ABCDEFG
HIJKLMN
OPQRSTU
VWXYZ

Solution page 253

131

L'ÉNIGME DU SPHINX

L'énigme la plus célèbre de toutes est probablement l'énigme du Sphinx, issue de l'Antiquité. Monstre éthiopien envoyé par l'un des dieux de l'Olympe pour punir Thèbes, le Sphinx était une créature perfide et impitoyable dotée d'un corps de lionne, des ailes d'un aigle immense, d'une queue de serpent et d'une tête de femme. Il attendait à l'entrée de la cité et exigeait des voyageurs une réponse à son énigme. Quand ils échouaient immanquablement à la résoudre, il les dévorait. Œdipe fut le seul qui finit par trouver la solution. Vaincu, le Sphinx se dévora lui-même. Voici l'énigme : « Quelle créature, pourvue d'une seule voix, a d'abord quatre jambes, puis deux jambes et finalement trois jambes ? »

Connaissez-vous la réponse ?

Solution page 253

132

MYSTÈRE DU PILOTE

Une rumeur tenace veut que, pendant la première guerre mondiale, un pilote français volant à une altitude de 2 000 m ait été gêné par une mouche se dirigeant vers son visage. En essayant de l'écraser, il constata avec surprise qu'il avait attrapé une balle allemande. L'incident est peut-être apocryphe – le manque d'informations solides semble le suggérer – mais il a été inclus dans cet ouvrage car il est, en réalité, possible. Même si elle paraît hautement improbable, rien dans cette histoire n'indique qu'elle soit inventée. Pouvez-vous déduire ce qui rend possible un tel exploit ?

Solution page 254

133

L'EXPÉRIENCE DU BALLON

Imaginez que vous soyez dans une voiture en stationnement sur une route plane. Votre rue pourrait servir de décor. À l'intérieur, un ballon gonflé à l'hélium est fixé au siège arrière par une ficelle. Si vous imaginez des passagers dans la voiture, demandez-leur de ne pas jouer avec le ballon pour l'instant. C'est vous qui fixez les règles imaginaires dans votre voiture imaginaire. Le ballon flotte librement au-dessus du siège, sans obstacle et sans contact avec le plafond. Toutes les vitres de la voiture sont fermées.

Quand la voiture démarrera et accélèrera, le ballon ira-t-il vers l'avant, vers l'arrière ou restera-t-il en place ?

Solution page 255

« Ce n'est pas que je sois si intelligent, c'est juste que je reste avec des problèmes plus longtemps. »

ALBERT EINSTEIN

134

CRU OU CUIT ?

L'œuf est une merveille de design, l'exemple physique même de l'élégance simple de l'évolution. Il est également délicieux et une source de protéines vitale pour des millions d'humains. Pour notre exercice, il est une excellente opportunité de curiosité scientifique. Imaginez qu'un œuf intact repose sur un plan de travail plat dans votre cuisine. Pour une raison ou une autre, vous hésitez à le soulever et vous n'êtes pas disposé à le casser simplement. De plus, il est à température ambiante et vous ne savez absolument pas s'il est cru ou s'il a été cuit précédemment. Ces conditions peuvent sembler restrictives au point d'avoir été inventées à dessein, mais il est parfois nécessaire de prendre des libertés avec la causalité.

Voici donc la question : étant donné ces restrictions, voyez-vous une méthode simple, n'exigeant aucun accessoire, pour savoir si l'œuf est cru ou cuit ?

Solution page 255

CHAPITRE 1

SOLUTIONS

SOLUTION 1

CORPS EN MOUVEMENT

Vous vous déplacez plus rapidement de jour.

La Terre tourne autour de son axe dans le sens antihoraire, ainsi qu'autour du Soleil. Par conséquent, à tout moment, le côté nocturne de la planète – plus éloigné du Soleil – se déplace dans la même direction que l'orbite, alors que, de jour, le côté diurne se déplace dans la direction opposée. Donc, à minuit, vous vous déplacez à 30 + 0,5 km/s autour du Soleil et, à midi, à 30 - 0,5 km/s.

SOLUTION 2

ABSOLUMENT RIEN

L'erreur est de partir du principe que la loi associative s'applique à un calcul à l'infini. Ce n'est pas forcément vrai. L'infini est indénombrable et, par conséquent, indéfini – il se poursuit à jamais – et si votre chaîne de sommes n'est pas fixée, vous ne pouvez pas réorganiser les choses à votre guise. C'est la chaîne des expressions infinies (+ 1 - 1) et (- 1 + 1) qui est égale, pas l'équation entière.

SOLUTION 3

UN EXERCICE DE LOGIQUE

Non, je n'apprécie que les poèmes traitant des choses qui peuvent porter mon poids.

SOLUTION 4

SUBMERSIBLE

Quand un sous-marin est en plongée, l'eau exerce une pression sur sa coque de toutes les directions simultanément. Cela signifie que la pression vers le haut est équivalente à la pression vers le bas et qu'elles s'équilibrent et laissent toute liberté de déplacement au sous-marin. S'il repose sur le fond rigide de l'océan, l'eau sera écartée sous lui et toute la pression s'exercera soudain vers le bas. C'est suffisant pour immobiliser le sous-marin, définitivement.

SOLUTION 5

QUARANTE-HUIT

1680.

1 680. 1 680 + 1 = 1681 = 41 x 41 ; (1 680 / 2 = 840) + 1 = 29 x 29

SOLUTION 6

CITATION EN DÉSORDRE

La citation est :

« Quand vous courtisez une jolie fille, une heure vous paraît une seconde. Quand vous êtes assis sur des braises, une seconde vous paraît une heure. C'est la relativité. »

Albert Einstein

$$\frac{G m_B \vec{r}_{BA}}{r^2_{AB}} + \frac{1}{c^2} \sum_{B \neq A} \frac{G m_B \vec{r}_{BA}}{r^2_{AB}}$$

$$4 \sum_{C \neq A} \frac{G m_B}{r^2_{AB}} [\vec{r}_{AB} (4\vec{v}_A - 3\vec{v}_B)] (\vec{v}_A - \vec{v}_B) - \frac{1}{2} P$$

SOLUTION 7

DEUX SEAUX

Ils sont du même poids. Un objet flottant déplace exactement autant d'eau que son propre poids. Puisque les deux seaux sont remplis au même niveau, ils ont le même poids malgré la présence du morceau de bois. Notez toutefois qu'un objet qui coule pèse plus lourd que le liquide qu'il déplace.

SOLUTION 8

LE FUNAMBULE

Un funambule conserve son équilibre en maintenant son centre de gravité directement au-dessus du fil. La barre qu'il porte l'aide de deux façons. L'essentiel est que son poids est concentré à ses extrémités. Celles-ci ploient vers le bas et, par conséquent, amènent le centre de gravité de l'athlète en dessous du fil. Le funambule est donc beaucoup plus stable – et plus en sécurité – qu'il n'y paraît. Le second bénéfice est que la barre possède une inertie considérable et l'athlète peut ainsi lui donner des impulsions pour régler son équilibre au besoin.

SOLUTION 9

TEXTE CRYPTÉ

Pour vos débuts, le code utilisé est basique. Toutes les espaces et les ponctuations ont été supprimées et le texte obtenu a été décomposé en blocs de cinq lettres. Le dernier bloc est complété par des caractères vides de sens. Les retours à la ligne et les retraits sont sans rapport.

« Un être humain est une partie d'un tout que nous appelons « Univers », une partie limitée dans l'espace et le temps. Il fait l'expérience de son être, de ses pensées et de ses sensations comme étant séparés du reste – une sorte d'illusion d'optique de sa conscience. Cette illusion est pour nous une prison, nous restreignant à nos désirs personnels et à une affection réservée à nos proches. Notre tâche est de nous libérer de cette prison en élargissant le cercle de notre compassion afin qu'il embrasse tous les êtres vivants et la nature entière, dans sa splendeur. »

Albert Einstein

SOLUTION 10

LE JEU DE FIBONACCI

Malgré les diverses multiplications, les différents éléments de la SOLUTION – position dans la ligne, nombre du doigt et nombre de la phalange – sont donnés par les chiffres séparés du total final. Soustrayez 350, la valeur de base de la suite de calculs, et les chiffres du résultat donnent la position, le doigt et la phalange, dans cet ordre.

Par exemple, une personne assise en 8e position dans la ligne, avec une bague à la 2e phalange du 4e doigt obtiendra un total de :

8 x 2 = 16, + 5 = 21, x 5 = 105, + 10 = 115.

(115 + 4) x 10 = 1190, et

+ 2 = 1192.

Donc, on obtient le résultat, 1192 – 350 = 842,

qui se décompose en 8 – 4 – 2.

SOLUTION 11

CURIEUSE IDÉE

C'est théoriquement possible, mais certainement peu judicieux. La maison devrait être située précisément sur le pôle Nord. Cette région est couverte d'une banquise en mouvement permanent ; la construction serait donc, au mieux, difficile, sans compter l'éloignement, l'inhospitalité et l'inaccessibilité de la zone.

SOLUTION 12

ÉTALON-OR

Les objets solides ne déplacent pas seulement les liquides en fonction de leur volume, mais aussi les gaz. En partant du principe d'Archimède, on peut constater qu'au sein de l'atmosphère de notre planète, le poids d'un objet indiqué sur une balance sera plus léger que sa masse ne le suggère. Précisément, l'objet soustrait le poids de l'air qu'il déplace de son poids apparent. L'or est nettement plus dense que n'importe quel bois et, par conséquent, déplace moins d'air, ce qui réduit d'autant son poids réel. Dans une chambre à vide, la vérité serait révélée. La « tonne » de bois pèse plus que la « tonne » d'or.

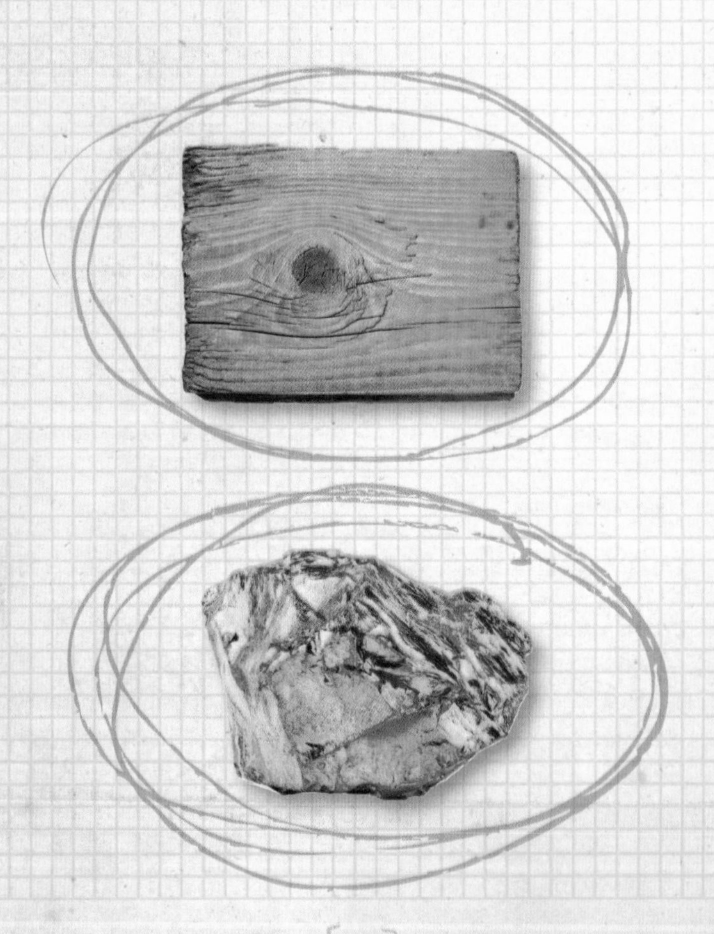

SOLUTION 13

DANS UN TOURBILLON

Il existe plusieurs bonnes solutions. L'une consiste à laisser tomber un objet sphérique dans un long tuyau ou un puits (pour éviter les courants d'air) et à mesurer à quelle distance il cesse de tomber droit. À l'équateur, une chute de 150 m donne un infléchissement vers l'est de plus de 2,5 cm. Une autre solution est de vous peser exactement au niveau de la mer à l'équateur et de nouveau au niveau de la mer à l'un des pôles. Vous pèserez légèrement moins lourd à l'équateur, car vous vous déplacez plus rapidement et la force de rotation participe à contrebalancer la gravité. Vous pouvez aussi vous diriger en voiture en direction du nord à partir de l'équateur, vers le pôle Nord, et observer la force dirigée vers l'est qui agit sur votre véhicule en mesurant soigneusement la pression des pneus du côté droit. La pression sera plus élevée à l'équateur et quasiment nulle en arrivant à destination.

Entre parenthèses, vous serez peut-être intéressé de savoir que le Soleil tourne effectivement sur son axe, tout comme la Terre. Il est toutefois fluide plutôt que solide, donc son équateur fait une révolution en 27 jours et ses pôles en 31 jours.

SOLUTION 14

LOGIQUE SCIENTIFIQUE

New Haven.

Emily, la scientifique américaine de Hanovre étudie la physique.

Jennifer, la scientifique britannique de Cambridge, étudie la nanotechnologie.

Marianne, la scientifique canadienne de New York, étudie la biochimie.

Alice, la scientifique australienne de Providence, étudie les métamatériaux.

Sophie, la scientifique irlandaise de New Haven, étudie l'astrophysique.

SOLUTION 15

UNE EXPÉRIENCE

Les molécules d'air s'évaporent de votre peau dans l'air continuellement. Ce processus est plus rapide dans l'air en déplacement rapide, car l'augmentation d'énergie favorise le passage de la sueur à l'état gazeux. Cette évaporation refroidit votre peau. Le souffle lent procure une sensation plus ou moins proche de sa température réelle, alors que le souffle rapide semble nettement plus frais. S'ajoute à cela le facteur mineur de l'expansion gazeuse. Le gaz que vous expulsez par un petit trou se dilate ensuite et cette dilatation a un effet refroidissant – donc, en fait, le souffle rapide devient légèrement plus froid.

SOLUTION 16

UN PEU DE CIRAGE

La glace n'est pas réellement une substance glissante. Cependant, son point de fusion baisse quand elle est soumise à une pression. Donc, quand vous marchez dessus – ou tirez une luge – une pellicule de surface fond et l'eau de fonte est glissante. Une surface rugueuse réduit le nombre de points de contact entre la glace et le patin de la luge (ou le pied), mais augmente la pression sur chaque point et, par conséquent, la quantité d'eau produite. Par des températures très froides, où la pression du poids du corps est insuffisante pour amener la glace au-delà de son point de fusion, la glace n'est pas plus glissante sous le pied que de la roche.

SOLUTION 17

MATHS TRIBALES

Malgré les manifestations spirituelles, cette méthode est une mise en œuvre physique sophistiquée de multiplication binaire. La rangée de droite, où le nombre de la valeur est divisé par deux de façon répétée (en arrondissant) et les nombres pairs écartés, devient l'équivalent binaire du nombre en base dix. Donc ici, 22 est représenté par 10110. Puis la rangée de gauche devient un moyen de multiplier les puissances de 2 en séquence pour le nombre du volume désigné. En partant de la valeur unitaire, 7, puis en la doublant, chaque colonne devient 7 fois ce chiffre binaire. 14 est 7 x 2, 28 est 7 x 4, et ainsi de suite. 22 étant 10110, 7 x 22 est (0 x 1) + (7 x 2) + (7 x 4) + (0 x 8) + (7 x 16), et en additionnant ces pierres, on obtient la réponse finale. La méthode est aussi efficace en sens inverse, évidemment : 7, divisé et arrondi, donne 3, qui donne 1. Pas de pairs « malfaisants », seulement trois trous pour 22, 44 et 88 qui, additionnés donnent 154.

SOLUTION 18

PROBLÈME DE FENÊTRE

Modifiez la forme de la fenêtre, du carré à un losange. Ainsi, la largeur et la longueur de 1,50 m deviennent une distance de 1,50 m d'une pointe à l'autre du losange, mais chaque côté de la fenêtre en losange ne mesure plus que 1,08 m et la surface est passée de 2,25 m^2 à 1,12 m^2.

SOLUTION 19

CITATION EN DÉSORDRE

La citation est :

« Tout le monde est un génie. Mais si vous jugez un poisson sur ses capacités à grimper à un arbre, il passera toute sa vie à croire qu'il est stupide. »

Albert Einstein

$$R_{\mu\nu} - \frac{1}{2} g_{\mu\nu} R + g_{\mu\nu} \Lambda = \frac{8\pi G}{c^4} T_{\mu\nu}$$

$$\vec{a}_A = \sum_{B \neq A} \qquad T_c = \left(\frac{n}{\zeta(3/2)}\right)^{2/3} \frac{2\pi\hbar^2}{m k_B} \approx 3.3125$$

SOLUTION 20

TEXTE CRYPTÉ

Le cryptage consiste à remplacer chaque lettre par la lettre suivante de l'alphabet : A devient B, B devient C, et ainsi de suite. Les coupures de mots ne sont pas prises en compte. Le décryptage est la simple inversion du processus.

La citation est :

« Si vous voulez que vos enfants soient intelligents, lisez-leur des contes de fées. Si vous voulez qu'ils soient plus intelligents, lisez-leur plus de contes de fées. »

Albert Einstein

SOLUTION 21

MONDES INFINIS

Il s'avère que la notion de « plus grande » doit être écartée quand on considère l'infini. Il est évident qu'il y a deux fois plus de nombres naturels que de nombres naturels pairs dans n'importe quelle série. Il est aussi évident que les deux séries sont infinies, donc de taille identique. La seule bonne réponse est que cette question est dénuée de sens.

SOLUTION 22

LEVER DE SOLEIL

6 heures précises. Le jour se lève quand notre position sur la Terre, au cours de la rotation, entre dans la lumière du Soleil qui a déjà atteint la planète. Donc la durée du trajet de la lumière n'a aucune importance.

SOLUTION 23

ÉNIGME DU CAFÉ

Le buveur d'expresso est Bruce.

Joan boit du cappuccino, porte du bleu et aime la pop.

Bruce boit de l'expresso, porte du rouge et aime le rock.

Steve boit du chocolat, porte du crème et aime la musique classique.

Diana boit du café au lait, porte du noir et aime l'électro.

Megan boit du thé, porte du vert et aime la country.

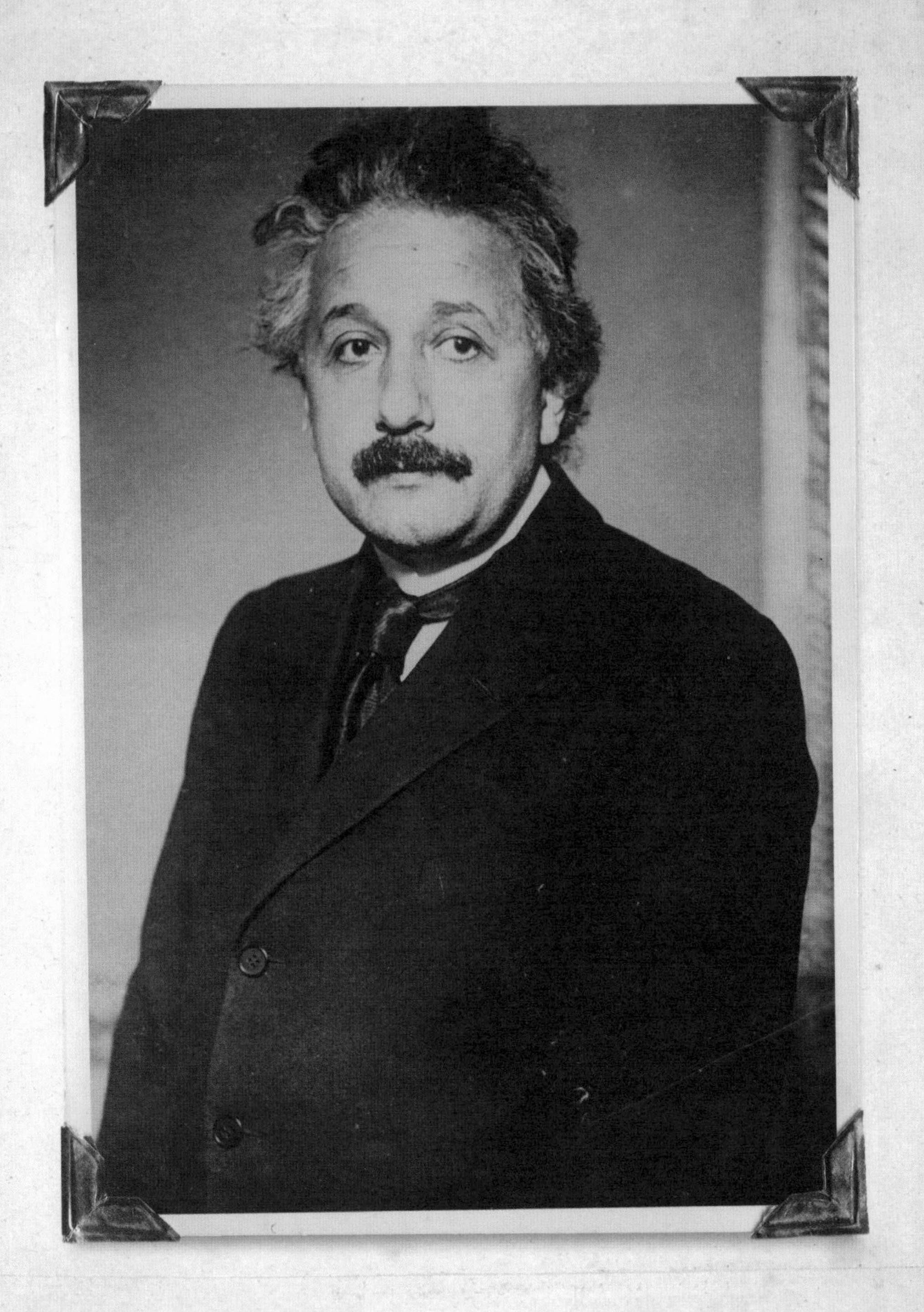

CHAPITRE 2

SOLUTIONS

SOLUTION 24

MIROIR, MIROIR

Non. Malgré tout ce que suggère le bon sens, une surface de miroir est effectivement invisible. Tout ce que vous voyez est la lumière qu'elle reflète. Bon nombre de tours de magie sont basés sur le fait qu'un miroir propre, sans cadre, est invisible.

SOLUTION 25

LES HUIT REINES

Il existe douze solutions possibles à ce problème. Celle qui est découverte le plus souvent (car ses principes sous-jacents sont connus dans les milieux mathématiques) est de placer les reines en 2a, 4b, 6c, 8d, 3e, 1f, 7g et 5h. Bravo si vous avez trouvé.

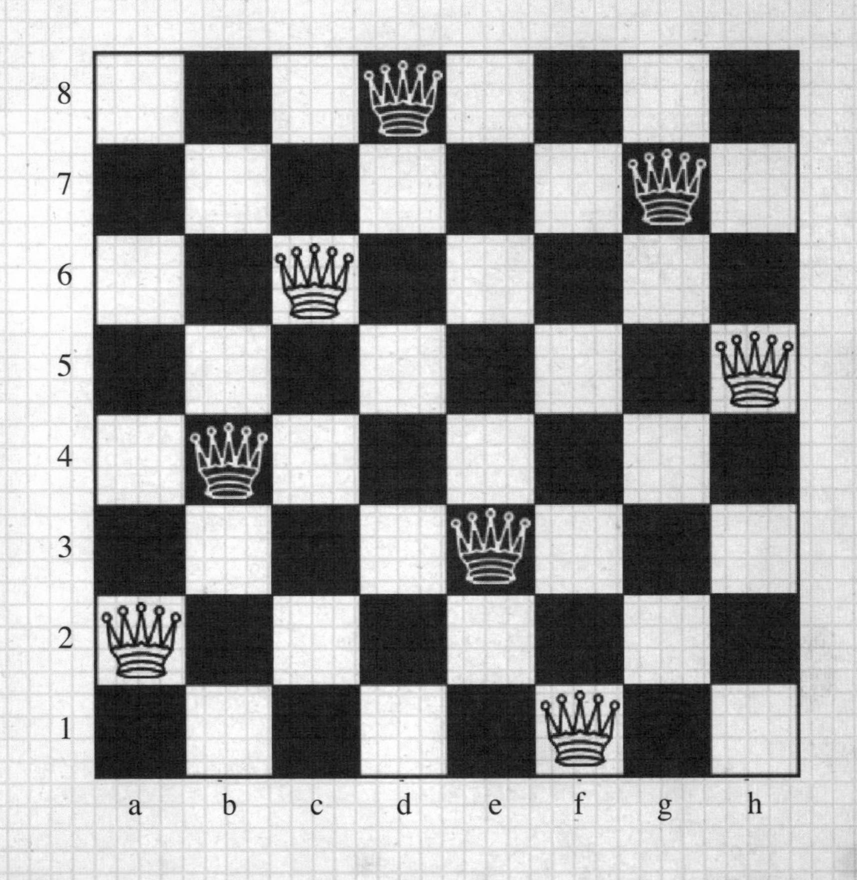

SOLUTION 26

ABSOLUMENT VRAI

Non. Le seul animal facile à caresser est le buffle et il ne donne pas de coups de pied.

SOLUTION 27

ASCENSEUR

Quand l'ascenseur se trouve entre les parois d'une cage, un coussin d'air se forme en dessous. Si la cabine tombait, l'air de plus en plus comprimé offrirait une résistance croissante contrecarrant la gravité.

SOLUTION 28

UNE QUESTION DE DÉPLACEMENT

Le niveau de l'eau baissera. Le plomb est plus lourd que l'eau, c'est pourquoi il coule. Quand il flotte – grâce au bateau – il déplace un volume d'eau égal à son poids, mais quand il est immergé, il déplace un volume d'eau égal à son volume. Puisqu'il est plus lourd que l'eau, son volume dans l'eau est inférieur à son poids dans l'eau.

SOLUTION 29

IMITATION DE LA RÉALITÉ

Les réalisateurs ont raison d'affaiblir le hurlement proportionnellement à l'augmentation de la distance. Mais ils devraient aussi réduire sa hauteur au fur et à mesure de l'accélération du corps, en raison de l'effet Doppler. C'est ce même effet qui modifie votre perception du son d'une sirène de pompiers quand elle s'approche de vous, vous dépasse, puis s'éloigne.

SOLUTION 30

ÉPREUVE DE LOGIQUE

Des équipements de protection.

Tek Trex, société belge, vend de la robotique et envoie un représentant à Glasgow.

Karma, société italienne, vend du matériel graphique et envoie un représentant à Barcelone.

3rd Eye, société portugaise, vend des caméras et envoie un représentant à Francfort.

Power Projects, société danoise, vend des équipements de protection et envoie un représentant à Prague.

C.A.F., société hollandaise, vend de la maroquinerie et envoie un représentant à Paris.

SOLUTION 31

CONFORTABLEMENT ASSIS

Il s'agit d'un problème d'équilibre. Si vous êtes assis droit, comme il est décrit, votre centre de gravité se situe derrière vos pieds (le point où vous essayez de vous équilibrer). Tant que vous ne replacerez pas votre centre de gravité sur vos pieds en vous penchant en avant et/ou en reculant vos pieds, vous ne pourrez pas vous lever.

SOLUTION 32

LE DOCTEUR AUX PIEDS NUS

La différence de perception est due à la conductivité thermique. Le carrelage conduit la chaleur très efficacement ; quand vous marchez dessus, la chaleur est rapidement absorbée de la plante des pieds et vous sentez le changement rapide de température. La moquette, ou le tapis, en revanche, conduit très mal la chaleur et vos pieds en perdent beaucoup moins. Vous ressentez la différence comme une chaleur de la moquette et un froid du carrelage, mais en vérité, les deux sont, en soi, à la même température.

SOLUTION 33

TEXTE CRYPTÉ

Il faut inverser la totalité du bloc de texte ; il commence donc par la dernière lettre et se lit en remontant jusqu'à la première, en ignorant complètement les coupures de mots : « Il serait possible de décrire toute chose scientifiquement, mais cela n'aurait aucun sens. Ce serait une description sans signification, comme si l'on décrivait une symphonie de Beethoven comme une variation d'ondes de pression. »

Albert Einstein

SOLUTION 34

REBOND

270 cm. Juste avant l'impact, les balles tombent à une vitesse inconnue de x mètres par seconde. Puisque les balles sont parfaitement élastiques et le sol parfaitement rigide, la balle la plus lourde va heurter le sol et sa vitesse passer de x (vers le bas) à $-x$ (vers le haut). À cet instant, la balle légère va subitement se déplacer à une vitesse de $2x$ comparée à la balle lourde, puisque x est deux fois plus grand que $-x$. Elle est renvoyée par la balle lourde à une vitesse de $-2x$ par rapport à celle-ci, et puisque la balle lourde se déplace déjà à $-x$, la balle légère se déplace à $-3x$ par rapport au sol. Puisque son énergie est fonction de sa vitesse au carré, quelle que soit l'énergie gagnée dans la chute, elle possède maintenant neuf fois cette énergie pour remonter. Elle montera à 9 x 30 cm, soit 270 cm.

SOLUTION 35

LE PENDULE

Cela ne ferait aucune différence. Les pendules fonctionnent entièrement en fonction de la gravité. Puisque la gravité agit simultanément dans toutes les molécules d'un objet, le poids de la bille n'a pas d'incidence. En fait, dans une cloche à vide, la taille de la bille du pendule est également sans importance. Tout dépend de la longueur de la ficelle.

SOLUTION 36

TOUT EST JUSTE

Non. Les alcooliques sont trop négligés pour se rendre à des fêtes.

SOLUTION 37

LE PARADOXE DE FERMI

Sept catégories principales d'hypothèses devraient être vraies pour que la question de Fermi soit un paradoxe authentique.

1. Nous reconnaîtrons les extraterrestres et leur activité quand nous la/les verrons (c.-à-d., il seraient visibles s'ils étaient ici/là-bas). 2 L'accès à la Terre et l'espace environnant est sans restriction (c.-à-d., nous ne sommes pas une « réserve naturelle » ou un « no man's land »). 3. Si une quelconque preuve d'activité extraterrestre était détectée, on nous en informerait (c.-à-d., ils ne sont pas encore là). 4. Le système solaire et ses environs sont assez intéressants pour attirer l'attention ou les efforts de colonisation des extraterrestres (c.-à-d., ils nous auraient remarqués). 5. Les extraterrestres intéressés pourraient venir ici (et le feraient), même s'ils le voulaient (c.-à-d., ils disposeraient d'un moyen de transport plus rapide que la lumière). 6. Nous l'avons constaté quand ils ont été actifs (c.-à-d., ils n'ont pas été ici dans le passé et ne le seront pas dans le futur). 7. Toute civilisation extraterrestre sera en réalité désireuse d'expansion, d'exploration, et par ailleurs est occupée ailleurs (c.-à-d., ils ne resteraient pas simplement chez eux).

La plupart des autres objections entrent dans l'une de ces catégories. Par exemple, l'idée qu'ils ne disposent pas d'instruments assez pointus pour nous repérer entre dans la catégorie (4) alors que l'idée que, peut-être, leurs sondes sont des nanomachines en orbite entre dans la catégorie (1).

SOLUTION 38

DÉBORDEMENT

En fait, vous pourrez ajouter plusieurs centaines d'aiguilles, même dans un verre de taille modeste, sans qu'une seule goutte d'eau ne déborde. Toutefois, au bout d'une certaine quantité, la surface de l'eau sera nettement bosselée. Les molécules à la surface de l'eau agissent comme une sorte de filet, reliées entre elles pour éviter les éclaboussures. Vous pourrez ainsi continuer jusqu'à ce que la pression du volume ajouté soit plus importante que la force de la tension de surface – qui, comme bon nombre d'insectes aquatiques vous le confirmeront, est étonnamment élevée.

SOLUTION 39

GRAVITÉ

C'est facile. Il vous suffit de trouver une paire d'objets qui présentent la même forme à l'air, mais sont de poids différents, et de les laisser tomber. Si vous avez deux petites boîtes identiques – des boîtes d'allumettes par exemple – videz l'une et emplissez l'autre de pièces de monnaie. Si les saletés ne vous effraient pas, vous pouvez opter pour un œuf dur et un œuf vidé de son contenu. Une balle de ping-pong peut être emplie de sable ou d'eau par un petit trou. Dans tous les cas, tenez les deux objets à la même hauteur, avec la même orientation, et ils toucheront le sol en même temps – du moins, à condition que l'objet le plus léger ne soit pas léger au point d'être freiné par la pression de l'air, comme le serait une plume.

SOLUTION 40

LE PRIX DE LA LOGIQUE

Le repas de Lucile était le plus cher.

Burt a mangé la poitrine de porc rôtie avec une ratatouille et a payé 24 €.

Calvin a commandé un gigot d'agneau avec une fricassée d'épinard et a payé 24,50 €.

Antonia a mangé un filet de chevreuil avec des poireaux à la crème et a payé 25,50 €.

Neal a commandé un magret de canard avec un risotto aux champignons et a payé 25 €.

Lucile a pris un filet de bœuf avec des carottes laquées et a payé 26 €.

SOLUTION 41

BILLES

Vous pouvez placer six sphères autour du périmètre d'une sphère de taille égale, si toutes sont en contact avec la sphère centrale.

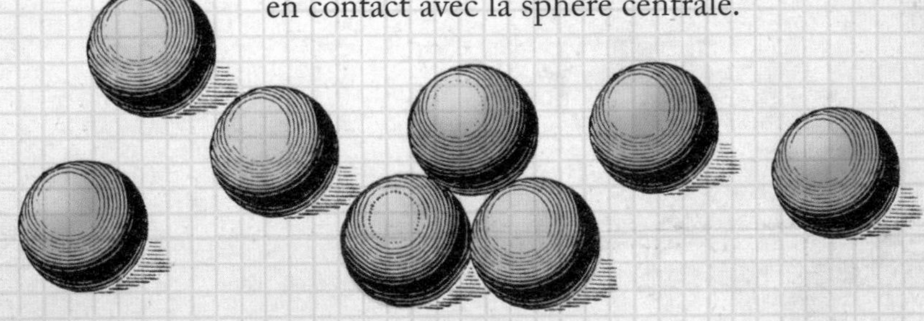

SOLUTION 42

SOUS TERRE

Trois mètres sous la surface du sol, l'écart de température saisonnier est habituellement de trois à quatre mois. En ce qui concerne les animaux qui vivent sous terre, ce serait le printemps. Si vous descendez plus bas, en dessous de 25 mètres, la température ne change pratiquement jamais.

SOLUTION 43

GYMNASTIQUE MENTALE

Oui, parce qu'ils n'accrochent pas leur chapeau sur le robinet.

SOLUTION 44

L'ÉNIGME DU CROCODILE

Si elle dit que le crocodile va lui rendre son bébé, il est libre de le dévorer. Si elle dit qu'il va manger le bébé et qu'il le fait, il devra rendre le bébé – mais s'il le fait avant de le dévorer, la prédiction de la mère est fausse. Puisque la situation est inextricable, le crocodile peut opter pour une espèce de compromis, comme de rendre seulement une jambe. Il est généralement admis que la meilleure réponse est : « Je prédis que si je prédis correctement le sort de mon bébé, tu me le rendras. Autrement, tu le dévoreras. » Toutes les options du crocodile sont alors annulées incontestablement – pour autant que cette prédiction soit admise comme valide.

SOLUTION 45

MÉTAL BOUILLANT

Le métal conserve les mêmes proportions quand il se dilate, ce qui signifie que le trou s'agrandit aussi. C'est pourquoi il suffit de passer un couvercle de bocal bloqué sous l'eau froide pour pouvoir l'ouvrir.

SOLUTION 46

UN VOYAGE EN TRAIN

N'importe quel rapport de vitesses entre les deux trains aboutira à une rencontre à un point donné le long de la ligne de chemin de fer, et par conséquent à des temps de trajet restants donnés. S'ils se rencontrent et qu'il leur reste le même temps de trajet, par exemple, ils voyagent tous les deux à la même vitesse et se rencontrent à mi-chemin. S'il reste deux heures de trajet à l'un et trente-cinq minutes à l'autre, il est impossible que le point de croisement se situe aux trois quarts de la distance. En l'occurrence, le train 1 roule deux fois plus vite que le train 2 et il a couvert les deux tiers de la distance dans le temps qu'a mis le train plus lent pour en couvrir un tiers.

SOLUTION 47

TEXTE CRYPTÉ

Le cryptage consiste à retirer la ponctuation et à décaler chaque lettre de 13 lettres dans l'alphabet (système de codage connu sous le nom de ROT-13 dans les milieux informatiques) – ainsi, A devient N, B devient O, et ainsi de suite. La citation est :

« L'héroïsme sur commande, la brutalité stupide, cette lamentable attitude de patriotisme, quelle haine violente j'ai pour tout cela. Combien méprisable et vile est la guerre. Je préférerais être déchiré en lambeaux plutôt que de prendre part à une telle bassesse. Je suis convaincu que tuer sous prétexte de guerre n'est rien d'autre qu'un assassinat. »

Albert Einstein

$$\frac{d\gamma}{d\beta} = \frac{d}{d\beta}\left(\frac{1}{(1-\beta^2)^{1/2}}\right) = \frac{-1}{2}(-2\beta)(1-\beta^2)^{-3/2} = \beta(1-\beta^2)^{-3/2} \therefore F = m_0\left[\gamma\frac{dv}{dt} + v\frac{d\gamma}{dt}\right] = \ldots$$

SOLUTION 48

PUISSANCE

Il s'agit de l'action des muscles des mollets, soit en vous tenant sur les orteils, soit assis, en levant les genoux alors que les orteils sont posés sur le sol. Vous pouvez alors soulever une personne assise sur vos genoux que vous ne pourriez espérer bouger avec les bras.

$$F = m_0\left[\frac{1}{\left(1-\frac{v^2}{c^2}\right)^{3/2}}\right]a \; ; \; W = \int F\,dx = \int \frac{m_0 a}{\left(1-\frac{v^2}{c^2}\right)^{3/2}}\,dx = m_0\int \frac{1}{\left(1-\frac{v^2}{c^2}\right)^{3/2}}\frac{dv}{dt}\,dx = m_0\int \frac{v}{\left(1-\frac{v^2}{c^2}\right)^{3/2}}\,dv$$

CHAPITRE 3
SOLUTIONS

SOLUTION 49

LE CARRÉ MAGIQUE

Cela peut sembler incroyable, mais il y a treize divisions du carré en séries de quatre nombres, chacune donnant un total de 34 :

1. Les rangées.
2. Les colonnes.
3. Les diagonales (du haut à gauche au bas à droite, et du haut à droite au bas à gauche).
4. En prenant les quatre cases centrales (et les groupes de quatre nombres restant au-dessus et en dessous, à gauche et à droite, et en diagonale).
5. En divisant le carré en quatre.
6. En prenant le haut ou le bas de chacun de ces quarts avec la même section du quart en dessous.
7. En prenant la moitié droite ou gauche de chacun de ces quarts avec la même section du quart adjacent.
8. En prenant la moitié du haut de chaque quart avec la moitié du bas du quart diamétralement opposé.
9. En prenant la moitié gauche de chaque quart avec la moitié droite du quart diamétralement opposé.
10. En prenant la même case de chacun des quarts.
11. En prenant la même case des deux quarts du haut avec la case diamétralement opposée dans les deux quarts du bas.
12. En prenant la même case des deux quarts à l'extrême gauche avec la case diamétralement opposée dans les deux quarts à l'extrême droite.
13. En prenant les cases dans le sens horaire ou antihoraire des quarts chacune leur tour au fur et à mesure que vous avancez dans le sens horaire (mais, pour compliquer, les groupes démarrant en haut à gauche et en bas à droite dans le quart en haut à gauche tournent dans le sens antihoraire quand vous avancez, mais les deux autres tournent dans le sens horaire).

SOLUTION 50

CUILLÈRE D'ARGENT

Le verre se dilate rapidement quand il est chauffé, mais transmet plus lentement la chaleur à travers son épaisseur. Donc, l'intérieur du verre chauffe et se dilate, mais l'extérieur reste froid et garde la même taille. Cela étire le verre qui est assez rigide pour casser. Le verre plus épais aggrave le problème plus qu'il ne l'atténue ; un verre plus mince chauffe plus vite sur toute son épaisseur et égalise la pression interne plus rapidement.

SOLUTION 51

ART ET LOGIQUE

Rosing.

Adam visite une galerie de New York, recherche de l'art préraphaélite et est impressionné par une œuvre de Barker.

James visite une galerie de Toronto, recherche de paysages urbains et est impressionné par une œuvre de Rosing.

Kara visite une galerie de Francfort, recherche du cubisme et est impressionné par une œuvre de Riley.

Pippa visite une galerie d'Oxford, recherche du néo-classique et est impressionnée par une œuvre de Newman.

Sébastien visite une galerie de Madrid, recherche de l'Op Art et est impressionné par une œuvre d'Haring.

SOLUTION52

APRÈS LE BAIN

Non, pas directement. Nos pieds sont un peu plus volumineux après une immersion dans l'eau chaude, mais pas parce que la chaleur les a dilatés comme un morceau de métal. La chaleur dilate les petits vaisseaux capillaires de la peau et augmente l'afflux sanguin vers la peau, qui gonfle donc légèrement. En outre, la peau absorbe une petite quantité d'eau, ce qui augmente le gonflement et la rend également plus tendre.

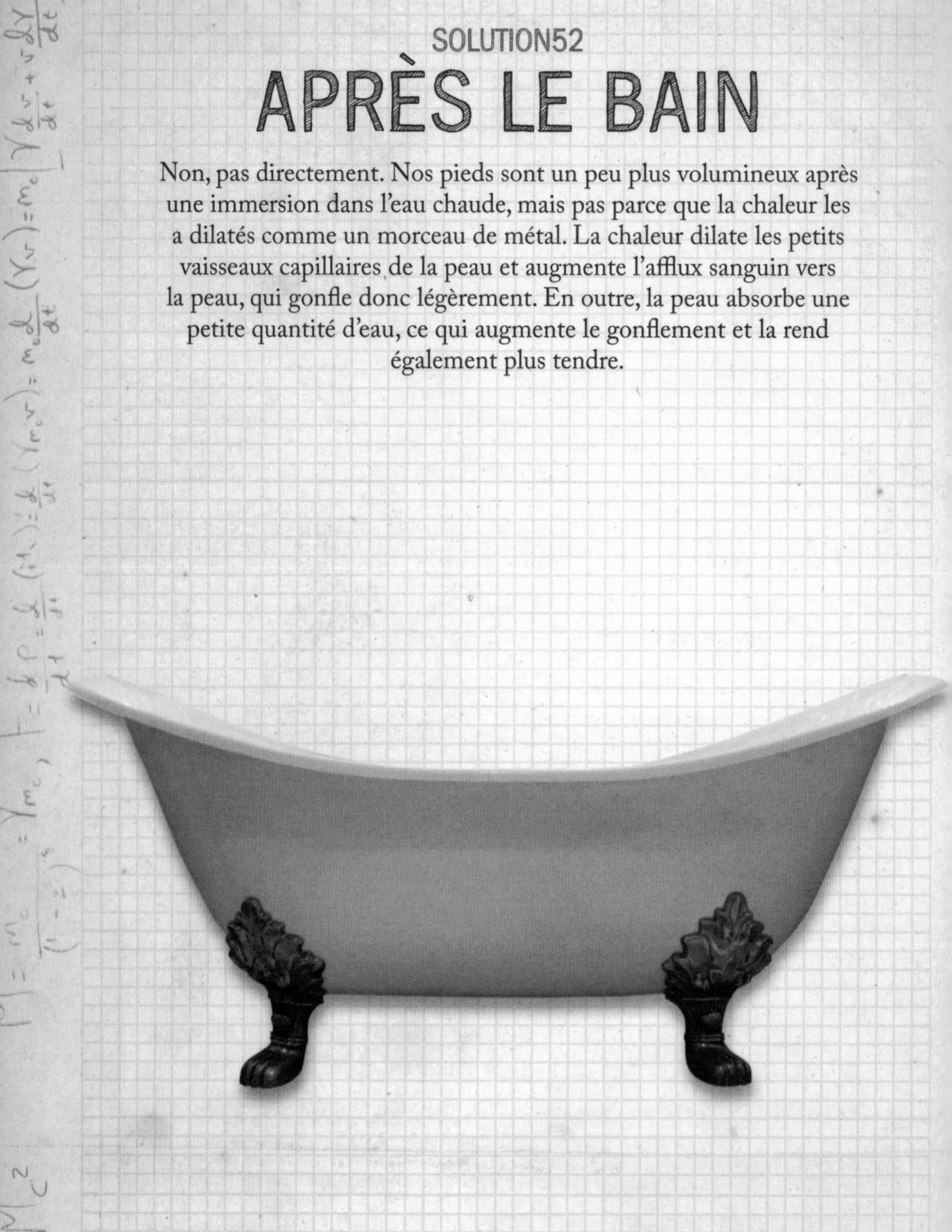

SOLUTION 53

LE PARADOXE DE LA PROBABILITÉ

Puisque vous pouvez obtenir un appariement entre deux membres du groupe, les chances de trouver une paire augmentent très rapidement au fur et à mesure que la taille du groupe augmente. Il suffit de 57 personnes pour avoir 99 % de chances que deux d'entre elles aient la même date d'anniversaire, et vous atteignez 50 % de chances avec 23 personnes.

SOLUTION 54

ABSOLUMENT VRAI

Non, parce que l'humidité les rend laides.

SOLUTION 55

CRÉPUSCULE

Il est évident qu'en vérité, c'est impossible. Malgré les apparences, les rayons crépusculaires restent parallèles. La divergence n'est qu'une illusion optique de perspective, de même que de longues routes droites et des rails de chemin de fer semblent se rejoindre au loin. Cela peut sembler difficile à croire, en raison de la grande distance et de l'absence de tout autre objet de référence, mais ils restent aussi écartés qu'à l'endroit d'où ils apparaissent dans les nuages (ou derrière le sommet de la montagne).

SOLUTION 56

ÉBULLITION

L'eau ne bout pas à un rythme régulier, en passant soudainement de l'état liquide à l'état gazeux. Elle chauffe de façon irrégulière, selon les microcourants dans le liquide, la dispersion de la chaleur et divers autres facteurs. Donc, une partie des molécules d'eau atteint 100 °C et l'état gazeux alors que d'autres sont encore liquides. Ces molécules prennent plus d'espace, écartent l'eau, sont plus légères et montent. Si elles rencontrent une zone d'eau froide, elles refroidissent et retombent au fond de l'eau en implosant. Ces implosions sont la source du bruit que vous entendez quand l'eau bout. Plus l'eau approche du point d'ébullition, plus la chance qu'une bulle de gaz refroidisse diminue – et donc le volume sonore diminue.

SOLUTION 57

AU FIL DE LA LOGIQUE

Une écharpe.

Radka utilise de la laine bleue pour tricoter un pull-over pour un ami.

Kristen utilise de la laine mauve pour tricoter une couverture pour un conjoint.

Hope utilise de la laine indigo pour tricoter une écharpe pour un voisin.

Ebony utilise de la laine rouge pour tricoter des chaussettes pour une nièce.

Delmer utilise de la laine grise pour tricoter un chapeau pour une amante.

SOLUTION 58

L'ILLUSIONNISTE

Comme dans de nombreux tours de prestidigitation, la solution repose sur des miroirs, évidemment.

Un miroir placé entre les pieds de la table peut refléter le sol apparemment vide que vous vous attendez à voir. Derrière ce miroir, l'assistant est accroupi. Quand la boîte est posée sur la table, l'assistant ouvre un abattant dans la table et passe sa tête dans l'ouverture.

SOLUTION 59

TRACES DE BRONZAGE

Le sable réfléchit beaucoup mieux la lumière que toute autre surface, dont l'herbe, la pierre, l'eau et la terre. Vous reposer à la plage vous expose simplement à plus de soleil. La neige est aussi très réfléchissante, mais les températures qui l'accompagnent dissuadent d'exposer une grande surface de peau à ses effets bronzants.

Entre parenthèses, n'oubliez pas que l'exposition excessive au soleil abîme la peau, accélère le vieillissement et augmente les risques de cancer de la peau.

SOLUTION 60

TEXTE CRYPTÉ

Le code Atbash est un code de substitution qui consiste à inverser l'ordre des lettres de l'alphabet ; ainsi A devient Z, B devient Y, et ainsi de suite. Il a été inventé par les anciens Hébreux. La citation est :

« La plus belle chose dont nous puissions faire l'expérience est le mystère, la source de tout vrai art et de toute vraie science. Celui à qui cette émotion est étrangère et qui ne peut plus s'émerveiller ni s'étonner, celui-là est comme s'il était mort : ses yeux sont fermés. »

Albert Einstein

SOLUTION 61

LE DILEMME DU PRISONNIER

Le dilemme de Dresher et Flood a de nombreuses ramifications intéressantes et des volumes entiers d'études académiques lui ont été consacrés. À titre individuel, la meilleure solution est de parler. Si B garde le silence, A gagne la liberté au lieu de six mois de prison ; si B parle, A est condamné à une peine de cinq ans au lieu de dix. Toutefois, si les deux prisonniers parlent, cette stratégie conduit à une troisième mauvaise issue automatique – d'où le dilemme. La « meilleure » stratégie est une stratégie perdante.

SOLUTION 62

LAMPE À HUILE

Le treillis métallique laisse entrer les gaz, mais empêche la flamme de sortir car les trous sont trop petits. La grille décompose la flamme en minuscules parties, puis le métal absorbe une partie de la chaleur ; ainsi fortement refroidis, les gaz de la flamme ne traversent pas la grille. Il est essentiel que le treillis métallique ne soit pas abîmé ; un seul maillon brisé peut suffire à laisser passer une flammèche, avec des conséquences catastrophiques.

SOLUTION 63

EXPOSÉ DES FAITS

Oui. Il ne pleut jamais en dehors du mercredi et tous les mercredis sont nuageux.

SOLUTION 64
SÉRIE

La lettre suivante est S. La série représente les premières lettres des nombres pairs en ordre croissant : Deux, Quatre, Six, Huit, Dix, Douze, Quatorze et Seize.

S

SOLUTION 65
AU SOLEIL

Les morceaux de tissu vont s'enfoncer dans la neige, plus ou moins selon qu'ils sont de couleur sombre ou de couleur vive. En effet, le tissu se réchauffe au soleil et fait fondre la neige sous lui. Il est probable que le carré blanc ne se sera pas enfoncé du tout, alors que le carré noir se sera assez enfoncé pour être complètement recouvert. Les carrés colorés se situeront entre ces deux extrêmes, selon la vivacité de leur coloris – le bleu et l'indigo enfoncés le plus profondément et le jaune le moins profondément.

Impuls
Kin. Energ.
y=y' z=z'

SOLUTION 66

RÉVOLUTIONS CYCLISTES

La roue avant est la seule utilisée pour la direction et elle a une trajectoire beaucoup moins droite que la roue arrière. Par conséquent, elle parcourt une distance plus importante.

SOLUTION 67

CADEAU LOGIQUE

Trois ans.

Randolph est marié avec Eunice depuis sept ans et lui a acheté de la lingerie.

Len est marié avec Irma depuis 16 ans et lui a acheté un bracelet.

Michael est marié avec Anita depuis trois ans et lui a acheté un manteau de fourrure.

Terrell est marié avec Mercedes depuis 14 ans et lui a acheté un livre.

Jeffrey est marié avec Elisha depuis cinq ans et lui a acheté un collier.

SOLUTION 68

LES SABLES DU TEMPS

Pendant la plus grande partie de la chute du sable, non. Le poids qui manque avec la chute du sable est compensé par la pression supplémentaire causée par le sable qui touche le fond. Cependant, il y a une très faible réduction de poids quand le sablier est retourné pour la première fois, avant que le moindre grain ne touche le fond. Celle-ci est compensée par une augmentation proportionnelle de poids quand il n'y a plus de sable qui passe le col, mais que la totalité n'est pas tombée au fond.

SOLUTION 69

LA PIÈCE DE MONNAIE

Munissez-vous d'un verre de belle taille, d'un morceau de papier et d'un briquet ou d'une allumette. Enflammez le papier et, alors qu'il brûle encore, laissez-le tomber dans le verre. Puis, d'un geste vif, posez le verre à l'envers sur l'assiette. Le papier va s'éteindre, puis dans un délai très bref, l'eau va être aspirée dans le verre au fur et à mesure que le volume de l'air rafraîchi se contracte. La pièce ne va pas bouger. Au bout d'une minute ou deux, la pièce aura séché et pourra être ramassée.

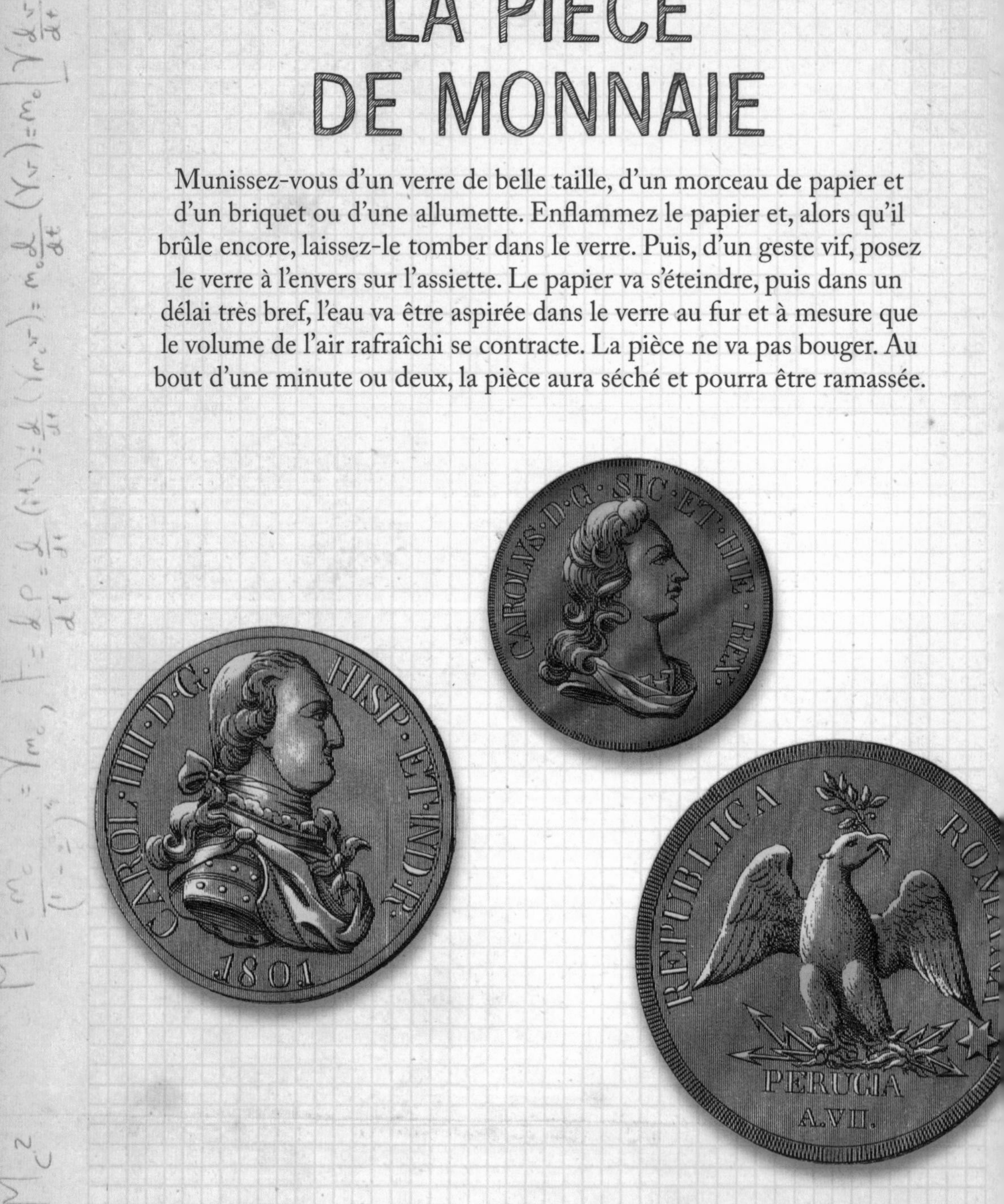

SOLUTION 70

EST-CE VRAI ?

Oui. Les poissons lourds ne méritent pas le respect, ce qui signifie qu'ils ne sont pas élégants.

SOLUTION 71

LES CORBEAUX

Le problème réside dans l'hypothèse que preuve signifie « preuve totale » plutôt que « preuve de soutien ». La logique est correcte ; l'existence d'une pomme verte n'exclut pas qu'une chose qui n'est pas noire soit un corbeau, ce qui augmente la probabilité que tous les corbeaux soient noirs. Mais cela n'augmente pas la probabilité de beaucoup.

SOLUTION 72

ÉTOILES FILANTES

On peut voir plus de météores après minuit qu'avant parce que la Terre, en suivant son orbite, chasse les météores devant elle. Après minuit, un observateur se trouve sur le côté de la Terre qui fait face à la direction de son mouvement orbital ; avant minuit, l'observateur se trouve dans l'ombre météoritique de la Terre.

SOLUTION 73

SIMPLICITÉ

D'un tiers. Si vous avez trois quarts, un quart est le tiers de cette quantité, pas un quart.

SOLUTION 74

TEXTE CRYPTÉ

Le codage fonctionne sur la base d'une simple substitution ; chaque lettre de la citation originale est remplacée par la même paire de deux lettres. La première lettre de chaque paire est décalée de trois places dans l'ordre alphabétique. La seconde lettre est un leurre. Ainsi, A devient toujours DR, B devient ET, C devient FY, et ainsi de suite. La citation est :

« L'énergie ne peut être créée ni détruite ; elle peut seulement passer d'une forme à une autre. »

Albert Einstein

SOLUTION 75

CE N'EST PAS LA LUNE...

L'objet resterait où il est et flotterait. Le premier théorème de Newton (ou théorème de la « coquille ») prouve qu'une sphère symétrique n'exerce pas de force gravitationnelle nette sur un objet en son sein (bien qu'elle attirerait un objet extérieur). Quand vous approchez d'un point de la coquille, son attraction gravitationnelle se renforce, mais l'augmentation est équivalente dans les nombreux points qui vous attirent dans d'autres directions. Cela s'égalise à zéro. Mais notez qu'il n'y a pas de lieu avec une gravité parfaitement nulle ; donc, même si l'astéroïde était loin à l'extérieur du système solaire, la Voie lactée elle-même exercerait encore une attraction gravitationnelle. Vous ne pourriez l'observer de l'intérieur, mais l'astéroïde et son contenu seraient effectivement dans la même situation de chute libre.

SOLUTION 76

LA MOUCHE

Les trains circulent tous les deux à 50 km/h et parcourent donc une distance de 100 km en 1 heure. La mouche vole à une vitesse constante de 75 km/h, donc en une heure, elle parcourt 75 km.

SOLUTION 77

PAR LES DEUX BOUTS

C'est évidemment la même fumée, mais l'extrémité allumée crée un courant d'air chaud ascendant qui aide la fumée à s'élever. La fumée est également plus légère parce qu'elle est chaude. À l'autre extrémité, il n'y a pas de courant d'air ascendant (mais à la place un courant intérieur retardateur) et la fumée a refroidi en passant à travers la cigarette. Et, comme les particules de fumée sont plus lourdes que l'air et ne subissent aucune pression vers le haut, elles descendent.

SOLUTION 78

PENSÉE LOGIQUE

Delmer livre du riz à Birmingham dans un camion vert.

Isaac livre des pommes à Manchester dans un camion rouge.

James livre du bœuf à Andover dans un camion blanc.

Krista livre des briques de lait à York dans un camion bleu.

Omar livre de la farine à Cambridge dans un camion gris.

CHAPITRE 4
SOLUTIONS

SOLUTION 79

REFROIDISSEMENT

L'air chaud s'élève, mais l'air froid descend. Aussi, la bonne réponse n'est pas de poser la boîte sur le bloc de glace, mais en dessous. Ainsi vous conservez le bénéfice du contact direct et l'air froid descend le long des parois de la boîte.

SOLUTION 80

BRODERIE

En réduisant le calcul mathématique, puisque l'angle d'atterrissage de l'aiguille varie, la pointe de l'aiguille devient en réalité un point sur un cercle. Imaginez qu'une pièce de monnaie atterrisse entre les coutures. Cela fait intervenir pi dans l'histoire, à partir de quoi il peut être calculé une fois que vous connaissez la probabilité.

SOLUTION 81

DOUCE VÉRITÉ

Non. Le vrai bonheur et le bon sens s'excluent mutuellement.

SOLUTION 82

ÉLÉVATION

Si la brique est lancée dans le bateau, elle déplacera une quantité d'eau égale à son poids. Si elle est lancée dans la piscine, elle déplacera une quantité d'eau égale à son volume. Puisque la brique est plus lourde que l'eau, son poids déplace plus d'eau que son volume. Donc, pour un effet maximum, lancez la brique dans le bateau. (Oui, les transports maritimes mondiaux ont un impact sur le niveau de la mer : ils le font monter de six millionièmes de mètre – hélas, plus que toute la vie marine du monde ne le fait !)

SOLUTION 83

TONNEAU

L'astuce consiste à pencher délicatement le tonneau sur son côté jusqu'à ce que l'eau atteigne le rebord, puis regardez à l'intérieur. Si la moindre partie du fond du tonneau est visible, il est plus qu'à moitié vide ; si la moindre partie de la paroi est cachée par l'eau, il est plus qu'à moitié plein. S'il est exactement à moitié plein, l'eau est au niveau du joint.

SOLUTION 84

CHIMPANZÉ ATHLÉTIQUE

Puisque la corde se déplace librement, les deux charges équilibreront automatiquement leurs positions. Quoi que fasse le chimpanzé, le poids réagira de même – en effet, pour gagner 30 cm de hauteur, le chimpanzé doit grimper sur 60 cm de corde. Ils atteindront le haut en même temps.

SOLUTION 85

CASSE-TÊTE LOGIQUE

Central Park.

Robin se rend à SoHo pour un conseil d'administration et paie 60 $.

Annie se rend à Central Park pour visiter un client et paie 65 $.

Marcella se rend à l'angle de la 54e et de Lexington pour expertiser un bien et paie 70 $.

Kathleen se rend à Grand Central Station pour faire de la détection de talents et paie 75 $.

Virginia se rend à Liberty Island pour un reportage photographique et paie 80 $.

SOLUTION 86

COURANTS D'AIR

Par une journée froide, les fenêtres et les murs extérieurs refroidissent. L'air près de la fenêtre, à l'intérieur de la pièce, refroidit et devient plus lourd. Il descend et l'air chaud est attiré dans l'espace qu'il laisse libre. Celui-ci refroidit à son tour et descend. Il en résulte un courant d'air circulaire, qui suit le plafond à partir des sources de chaleur vers les fenêtres et qui suit le sol à partir des fenêtres et revient vers les sources de chaleur. Vous le sentez comme un courant d'air froid qui vient de la fenêtre, particulièrement sensible sur les pieds et les chevilles.

SOLUTION 87

SEL

Le riz absorbe beaucoup mieux l'eau que le sel. Dès que l'humidité pénètre dans la salière, le riz l'absorbe immédiatement sans altérer le goût du sel.

SOLUTION 88

TEXTE CRYPTÉ

Le cryptage fonctionne par détournement d'attention. Seule la première lettre de chaque bloc a une signification. Ces premières lettres composent la citation dans l'ordre normal. Voici la citation :

« Vous devez apprendre les règles du jeu. Puis, vous devez jouer mieux que tous les autres. »

Albert Einstein

SOLUTION 89

LE CHAMP DE COURSES DE ZÉNON

La Dichotomie part du principe que l'espace peut être divisé à l'infini, mais que le temps ne peut pas l'être. Ces deux hypothèses sont arbitraires, et au moins l'une des deux est fausse. En réalité, la physique moderne indique une subdivision minimale de l'espace, au niveau subatomique.

$$\frac{d\gamma}{d\beta} = \frac{d}{d\beta}\left(\frac{1}{(1-\beta^2)^{1/2}}\right) = \frac{-1}{2}(-2\beta)(1-\beta^2)^{-3/2} = \beta(1-\beta^2)^{-3/2} \therefore F = m_0\left[\gamma\frac{dv}{dt} + v\frac{d\gamma}{dt}\right]$$

SOLUTION 90

UN ŒUF DANS UNE BOUTEILLE

Faites tremper l'œuf dans du vinaigre pendant une demi-journée, ce qui rendra la coquille malléable. Puis introduisez un papier enflammé dans la bouteille et placez l'œuf sur le col. Quand la flamme s'éteindra, l'air refroidira et se comprimera et l'œuf sera attiré dans la bouteille. Rincez l'intérieur de la bouteille à l'eau froide pour éliminer les cendres.

SOLUTION 91

EXERCICE DE LOGIQUE

Oui. Je ne possède que des animaux à qui je fais confiance.

SOLUTION 92

LES BOÎTES DE BERTRAND

Il y a trois pièces d'or que vous auriez pu recevoir, chacune avec une chance de 1/3, 1/3 et 1/3. Dans deux cas, la pièce restant dans la boîte est en or ; dans un seul cas, elle est en argent. Donc la probabilité d'une deuxième pièce en or est en réalité de 2/3, et non de ½ comme votre intuition aurait pu vous le suggérer.

SOLUTION 93

CHAUD ET FROID

La réponse est évidemment que le manteau ne vous réchauffe pas directement. En revanche, il évite la déperdition de chaleur de votre corps dans l'air ambiant. Autrement dit, vous vous chauffez vous-même. La laine et la fourrure emprisonnent l'air et l'air est une excellente substance isolante. La chaleur de votre corps vous est restituée et ainsi vous avez plus chaud.

SOLUTION 94

CLAIR-OBSCUR

Ce problème peut être résolu en utilisant les relations géométriques de triangles similaires et la différenciation par rapport au temps, mais il est également facile à résoudre à l'aide d'un crayon, d'une règle et d'un morceau de papier (dans la meilleure tradition scientifique). Quand vous vous tenez juste sous le réverbère, votre ombre est à vos pieds, avec un déplacement nul. Quand vous aurez parcouru une distance (*x*), équivalente à votre hauteur, il est possible de déterminer graphiquement que l'extrémité de votre ombre aura parcouru (*2x*), ou deux fois cette distance. Si vous vérifiez sur plusieurs distances, vous constaterez que cette relation est constante, même si la valeur de ce rapport est fonction des hauteurs relatives de la personne et de la source lumineuse. Donc, dans ce cas simple, nous pourrions dire que l'extrémité de l'ombre se déplace à une vitesse double de votre allure. Mais, attention, Einstein nous rappellerait que tout est relatif. Ce n'est que pour un observateur immobile que l'ombre semble se déplacer deux fois plus vite que vous. De votre point de vue, l'extrémité de votre ombre s'écarte de vous à une vitesse égale à la vôtre.

SOLUTION 95

TEST DE LOGIQUE

Felicia et son ami se rendent en Antarctique.

Lindsey se rend dans un lodge en Argentine avec son frère.

Yolanda se rend dans une ville d'Islande avec un cousin.

Felicia réside dans une villa au Japon avec un collègue.

Taylor se rend dans un hôtel à l'île Maurice avec un parent.

SOLUTION 96

BALLES DE GOLF

En partie, les alvéoles procurent une surface irrégulière qui capture l'air, ce qui réduit la traînée de la balle. La résistance à l'air est réduite et la distance augmentée. Et surtout, le joueur donne un effet rétro à la balle et les alvéoles en rotation accrochent l'air et le poussent vers le bas.

La pression plus importante de l'air sous la balle alvéolée soulève celle-ci et lui permet de voler beaucoup plus loin qu'une balle lisse.

SOLUTION 97

SAUTER D'UN BUS EN MARCHE

Il y a deux difficultés à surmonter. Quand vous sautez, vous vous déplacez à la même vitesse que le bus. Le sol reste cependant immobile. Ceci pose deux problèmes. Vous devez réduire votre vitesse avant d'atterrir et réduire le risque de chute. Si vous sautez dans la direction de déplacement du bus, vous êtes dans le sens opposé à son déplacement – de loin la façon la plus sûre d'atterrir – mais vous augmentez votre vitesse. Si vous sautez dans la direction opposée, vous réduisez votre vitesse, mais votre corps n'est pas conçu pour gérer la poussée de la vitesse vers l'arrière et, pire, en tombant, vos mains ne sont pas dirigées vers l'avant pour amortir la chute. Sauter parallèlement au bus est encore plus déséquilibrant et ne réduit pas du tout votre vitesse. La meilleure option est donc probablement d'être face à la direction de déplacement du bus et de sauter dans la direction opposée, vers l'arrière. C'est ce qui réduira le plus votre vitesse, mais vous atterrirez dans la direction où vous pousse votre élan. Et vous aurez ainsi les meilleures chances d'éviter un accident catastrophique.

SOLUTION 98

LOGIQUE ANIMALE

Non. Je ne prête jamais attention aux blaireaux.

SOLUTION 99

STADE DE ZÉNON

De toute évidence, Zénon commet une erreur ridicule. La vitesse absolue n'est pas la vitesse relative, et les coureurs se croisent rapidement parce qu'ils vont dans des directions opposées. Mais… la relativité est un tyran auquel on ne peut échapper. Si les coureurs étaient des vaisseaux spatiaux, qui se croisent pratiquement à la vitesse de la lumière, venant de directions opposées, ils se croiseraient à la vitesse de la lumière, pas presque à deux fois la vitesse de la lumière. En vérité, Zénon décrit la réalité avec précision, du moins à une vitesse relativiste. Les implications sur la nature du temps sont encore l'objet de débat. Nous vivons dans un univers très étrange.

SOLUTION 100

DES BULLES

Les bulles s'attireraient aussi. L'eau présente entre les deux bulles serait attirée vers la plus grande concentration de masse, qui se trouve hors de la trajectoire entre les deux bulles. Ainsi les deux bulles se déplaceraient l'une vers l'autre.

SOLUTION 101

UN OVALE PARFAIT

La solution est simple quand on connaît l'astuce. Enroulez le papier autour d'un cylindre, une bouteille par exemple, et assurez-vous que la mine du compas est mobile. Puis au fur et à mesure que vous dessinerez, la variation de hauteur de la surface par rapport à votre point central assurera la formation de l'ovale.

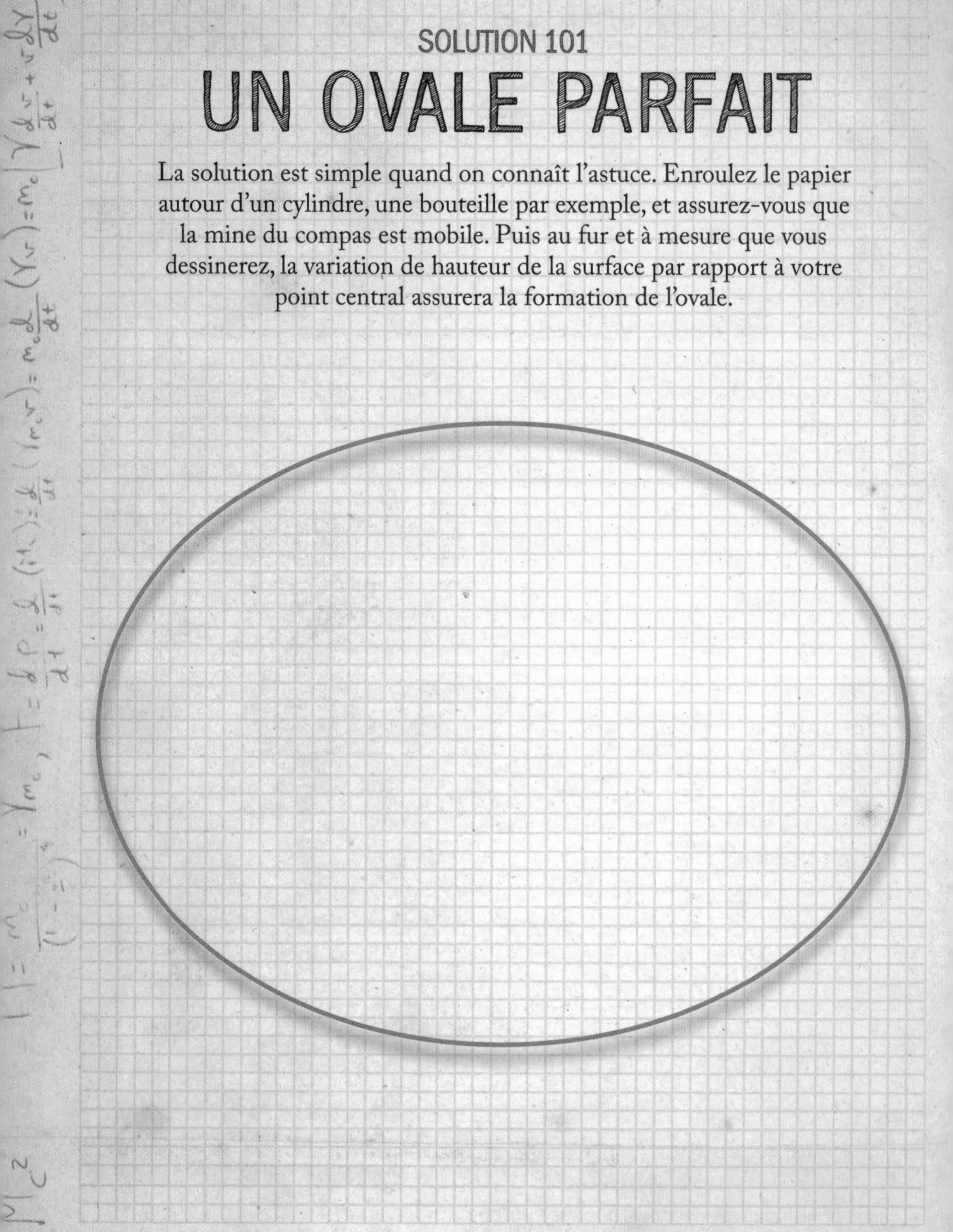

SOLUTION 102

TEXTE CRYPTÉ

Le cryptage consiste à remplacer les lettres de l'alphabet par les nombres 1 à 9, dans l'ordre. Quand on atteint le J, on repart de 1. Ainsi A, J et S sont représentés par « 1 ». Voici la citation :

« Si ma théorie de la relativité est prouvée, l'Allemagne me revendiquera comme Allemand et la France déclarera que je suis citoyen du monde. Mais si ma théorie est fausse, la France dira que je suis un Allemand et l'Allemagne déclarera que je suis un Juif. »

Albert Einstein

SOLUTION 103

IMPOSSIBLE

Après 52 doublements de la hauteur, la pile de cartes mesurerait 1,23 x 10^15 mm, ce qui donne environ 1 240 millions de kilomètres, ou plus de huit fois la distance de la Terre au Soleil.

SOLUTION 104

LE CHAT DE SCHRÖDINGER

La théorie de la mécanique quantique suggère que le chat serait dans un état « superposé » impossible, simultanément vivant et mort, jusqu'à ce que quelqu'un ouvre la boîte et regarde. À l'instant où l'observateur vérifierait, le sort du chat se résoudrait par l'une ou l'autre façon, et il serait soit mort soit vivant, peut-être bien mort depuis longtemps. À la grande horreur de Schrödinger (et d'Einstein), ceci s'avéra une illustration exacte du fonctionnement de l'Univers. Jusqu'à ce qu'un processus soit observé, il est dans tous les états possibles simultanément. Le principe du chat de Schrödinger a été utilisé pour créer des flux de communication qui montrent, par leur nature, s'ils ont été observés ou non.

SOLUTION 105

LA BALANCE

En vous penchant en avant, vos muscles abdominaux tirent la moitié inférieure de votre corps et diminuent donc la pression sur la balance. Vous constaterez l'effet inverse en vous tenant le plus dressé possible : vos muscles abdominaux poussent sur la moitié inférieure de votre corps et votre poids augmente. Outre ce facteur, si vous vous penchez, vous pouvez déplacer votre centre de gravité qui ne se trouvera plus exactement au-dessus de la balance ; votre poids apparent sera également diminué.

SOLUTION 106

PENSÉE LOGIQUE

Robin, en pyjama jaune, a la rougeole et reçoit un jouet.

Alexis a les oreillons, reçoit une crème glacée et porte un pyjama bleu.

Billie a une angine, reçoit la visite d'un ami et porte un pyjama vert.

Frankie a la varicelle, reçoit de la confiture et porte un pyjama orange.

Lee a la scarlatine, reçoit un livre et porte un pyjama rouge.

Robin a la rougeole, reçoit un jouet et porte un pyjama jaune.

SOLUTION 107

PROBLÈME DE POIDS

Un maximum de poids signifie un maximum de gravité. Si la Terre avait une densité uniforme, la gravité maximale se trouverait aussi près du centre que possible tout en restant à sa surface – c'est-à-dire au pôle Nord ou au pôle Sud. Au fur et à mesure que vous vous éloignez du centre, l'attraction gravitationnelle diminue, donc vous pesez moins lourd au sommet d'une montagne. Cependant, elle diminue aussi quand vous traversez la surface, car la masse derrière vous compense l'attraction.

En réalité, la Terre n'est pas d'une densité uniforme. Le noyau est beaucoup plus lourd et le point d'équilibre – où l'attraction supplémentaire due au rapprochement avec le noyau est compensée par l'attraction de la masse au-dessus de vous – se situe à 2 885 km de profondeur en moyenne. Cette limite est appelée discontinuité de Gutenberg.

SOLUTION 108

LA FLÈCHE DE ZÉNON

Les objets se déplacent et possèdent une vitesse. Cependant, si vous regardez le monde du point de vue de la physique classique, où la réalité est une construction spatiale divisée en intervalles de temps gelés, il n'y a en effet pas de point logique pour le mouvement. La mécanique quantique, qui a largement remplacé la physique classique au niveau du très petit, est encore pire. Il a été démontré de façon probante que si vous connaissez l'emplacement d'une particule, vous ne pouvez pas connaître sa direction ou sa vitesse (et inversement). Zénon, sachant que la flèche est suspendue dans l'air, a absolument raison d'affirmer qu'il ne peut dire qu'elle se déplace.

Et si cela ne suffisait pas, l'effet Zénon quantique a été mesuré en 1977. Il a été démontré que, si vous observez un système quantique très attentivement, son passage normal à travers le temps est interrompu. Observer la flèche métaphorique provoque en fait son arrêt.

Des archives historiques indiquent que Zénon fut finalement exécuté, à l'âge de soixante ans, pour avoir participé à un complot visant à renverser un tyran d'Élée. Il fut jeté dans un immense mortier et écrasé par un énorme pilon.

CHAPITRE 5
SOLUTIONS

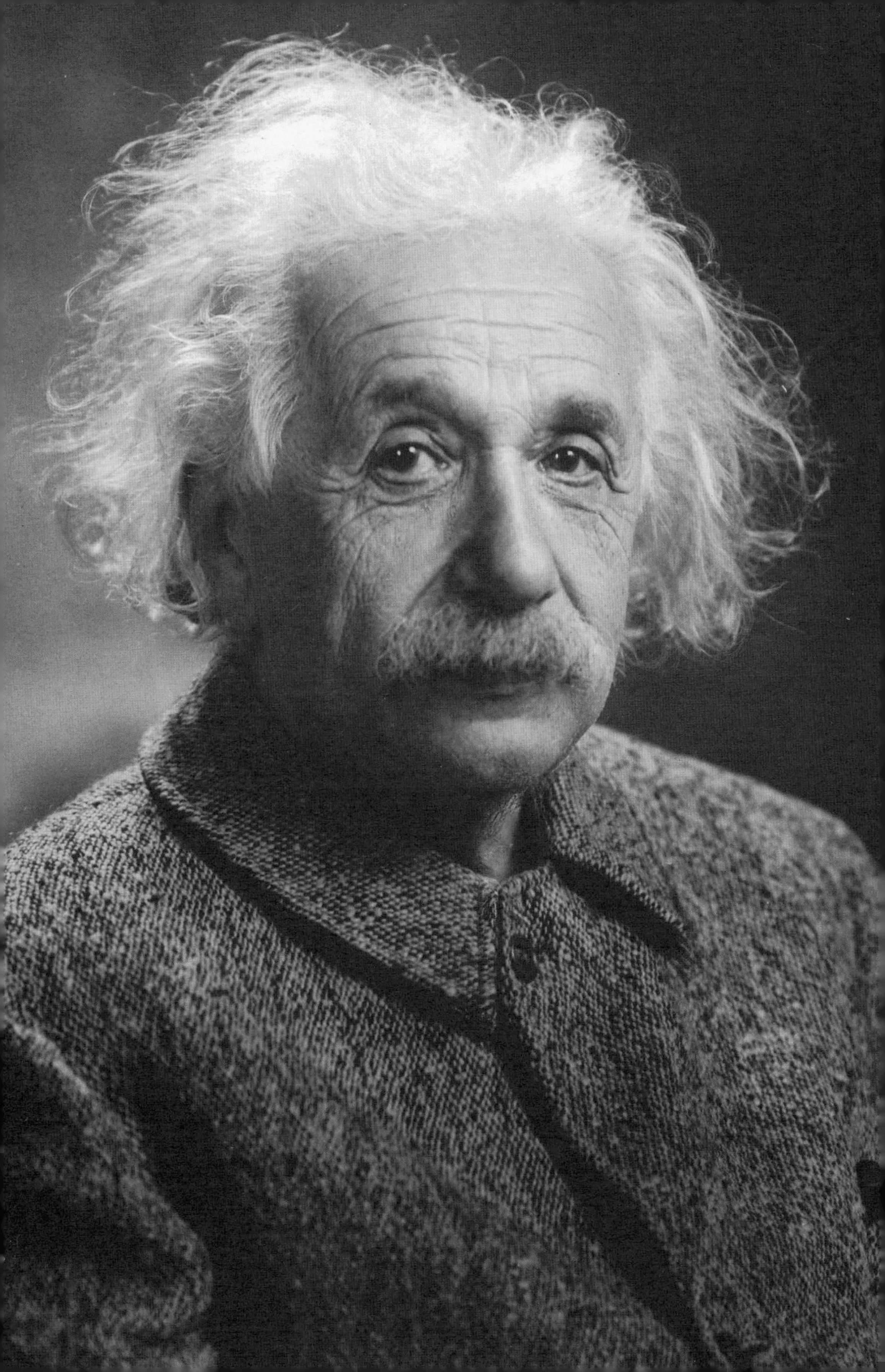

SOLUTION 109

TOTALEMENT VÉRIDIQUE

Oui. Vos chèques portent tous la mention « non négociable ».

SOLUTION 110

INSTINCT DE SURVIE

Oui. Dans cette situation, vous pourriez atteindre une vitesse de plusieurs kilomètres par heure. Quand votre corps se déplace vers l'avant pour opérer la traction, le frottement empêche la barque de glisser en arrière en réaction. Puis, quand vous tirez sur la corde, la force de la saccade est suffisante pour l'emporter sur le frottement et faire avancer la barque alors que votre corps recule.

SOLUTION 111

CENT

La solution est génialement simple : 123 - 45 - 67 + 89 = 100.

123456789

SOLUTION 112

SOUS PRESSION

La pression de l'air est compensée par notre pression sanguine et la pression concomitante des liquides présents dans chacune de nos cellules. C'est pourquoi des auteurs de fiction spéculative ont suggéré qu'une personne placée dans le vide absolu exploserait – en raison de ses pressions internes. En vérité, nous savons que ce n'est pas le cas.

SOLUTION 113

LOGIQUE PURE

Bertha a acheté 15 œufs de caille.

Franklyn achète 12 œufs de cane et porte un manteau rose.

Byron achète 6 œufs d'oie et porte un manteau jaune.

Lou achète 9 œufs de poule et porte un manteau blanc.

Bertha achète 15 œufs de caille et porte un manteau bleu.

Megan achète 3 œufs de dinde et porte un manteau noir.

SOLUTION 114

POP-POP

Quand l'eau bout, la vapeur expulse l'eau en jet. La fraîcheur comparative du tuyau d'échappement condense la vapeur en eau et de l'eau nouvelle est aspirée dans la chaudière pour renouveler le processus. La raison du mouvement est que l'eau expulsée part en ligne droite et crée une poussée vers l'avant, alors que l'eau est aspirée à 180° autour de la sortie du tuyau et la poussée vers l'arrière est ainsi largement dispersée. Un dispositif d'augmentation de poussée, comme ce qui est utilisé dans les moteurs à réaction, pourrait convertir encore davantage de cette poussée vers l'arrière en poussée vers l'avant en la redirigeant.

SOLUTION 115

TEXTE CRYPTÉ

Le codage est à nouveau un leurre. Cette fois, la citation se lit uniquement avec la lettre centrale de chaque bloc de cinq lettres. Voici la citation :

« La force attire toujours les hommes de peu de moralité. »

Albert Einstein

SOLUTION 116

LE GRAND HÔTEL

L'infini est illimité. Bien que les hôtes déjà présents soient en nombre infini, le directeur peut demander à chacun de passer à la chambre dont le numéro est le double de sa chambre actuelle. Ainsi, un nombre infini de chambres à numéro impair deviennent libres pour les nouveaux arrivants. Il existe d'autres solutions, bien entendu ; par exemple, demander à chacun de passer à la chambre de numéro supérieur et de répéter le processus à l'infini.

L'hôtel d'Hilbert est une description parfaitement exacte du fonctionnement de l'infini. Il est toutefois si totalement paradoxal que des critiques (essentiellement des intellectuels religieux) l'ont cité comme preuve de non-existence de l'infini.

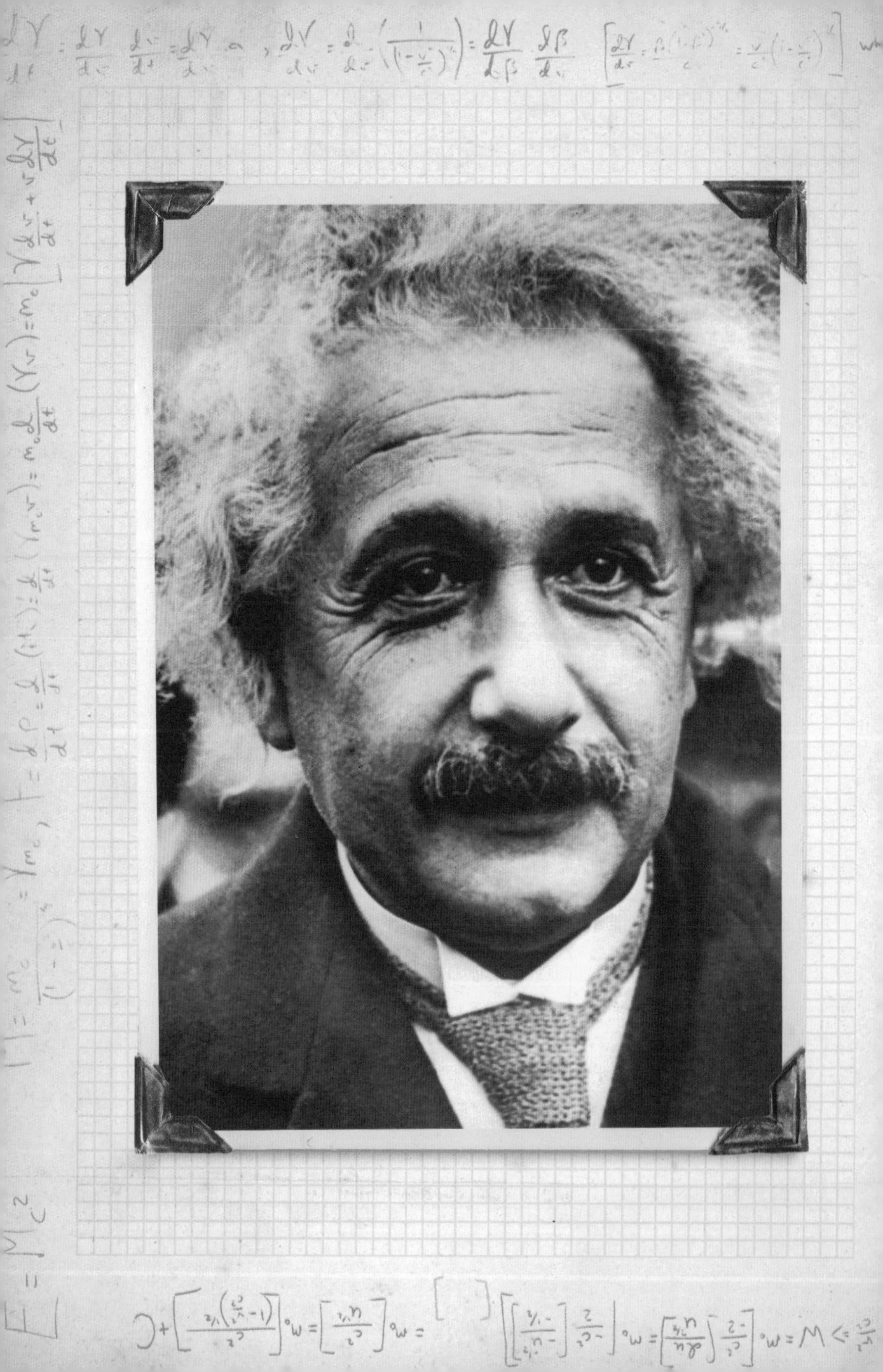

SOLUTION 117

SÉRIE

La lettre suivante est P. À chaque fois, la lettre monte de trois places dans l'ordre de l'alphabet.

ABCDEFG
HIJKLMN
OPQRSTU
VWXYZ

SOLUTION 118

RÉFLÉCHIR LOGIQUEMENT

Non. Elles ne sont pas écrites sur du papier bleu.

SOLUTION 119

PARADOXE DE BERRY

La solution réside dans la nature du langage. « Définir » est un terme vague et « le plus petit entier naturel non définissable en 12 mots ou moins » est tellement imprécis qu'il est sans signification sur le plan mathématique.

SOLUTION 120

BALISTIQUE

À peine 4 km. La résistance de l'air est un frein beaucoup plus important que nous ne le ressentons intuitivement.

SOLUTION 121

TEMPS ET MARÉE

La Lune attire effectivement la mer vers elle et provoque le gonflement. Mais elle attire aussi la matière solide de la Terre vers elle et l'écarte de l'eau à l'autre bout du monde. Donc la marée haute de l'autre côté de la Terre est causée par le fait que la planète a reculé.

SOLUTION 122

ÉPREUVE DE LOGIQUE

Le buveur de thé est Tripp qui suit un cours d'arts plastiques.

Nessa discute de métaphysique, mange des cookies au chocolat et boit des sodas.

Saldana joue dans une pièce, mange des biscuits fourrés aux fruits et boit de l'eau.

Tripp suit un cours d'arts plastiques, mange des biscuits au gingembre et boit du thé.

Tristan apprend l'anglais, mange des sablés et boit du café.

Vilma fait partie d'un groupe de lecture, mange des petits-beurre et boit des jus de fruit.

SOLUTION 123

LA CONGÈRE

Tout vient du flux de vent. Une grande surface plane détourne beaucoup plus le vent qu'un objet fin et rond, comme un poteau, ou perméable à l'air, comme une haie. Le poteau est davantage frappé par la neige parce que le vent se heurte contre lui.

SOLUTION 124

HYPOTHÈSE LOGIQUE

Oui, ils n'ont pas d'affection pour moi.

SOLUTION 125

PEPYS-NEWTON

La plus grande chance de succès est fournie par la plus petite série, de 6 dés. Comme Newton le fit remarquer, vous pourriez envisager chacune des plus grandes séries comme des multiples de la plus petite. Avec 6 dés, il vous suffit d'un lancer gagnant. Avec 12 dés, il vous faut deux lancers gagnants simultanément et avec 18 dés, trois lancers gagnants. Ce n'est pas si simple. Pepys avait raison sur le fait qu'il y a plus d'opportunités de gagner avec 18 dés qu'avec 6 – mais les opportunités supplémentaires ne compensent pas le supplément de difficulté. Pour mémoire, vos chances de succès sont de 0,67, 0,62 et 0,60 pour 6, 12 et 18 dés, respectivement.

SOLUTION 126

SÉRIE

La lettre suivante est J. La série est composée des initiales des mois en sens inverse : Décembre, Novembre, Octobre, Septembre, Août, Juillet et Juin.

JUIN

ABCDEFG
HIJKLMN
OPQRSTU
VWXYZ

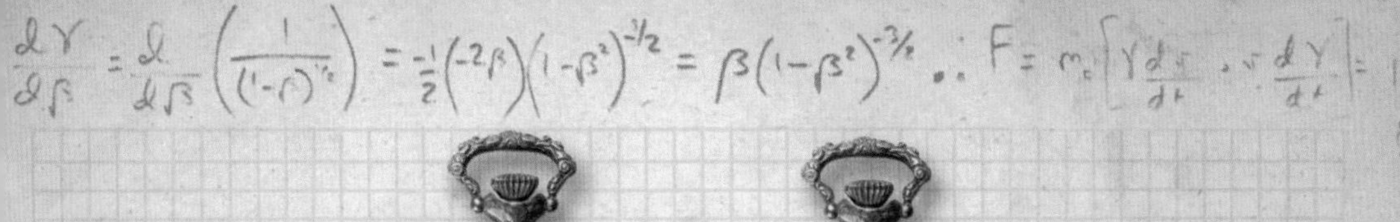

SOLUTION 127

VOYAGE TEMPOREL

La relativité n'a rien à voir en la matière. À une altitude élevée, la pression de l'air est plus faible. Cela signifie que le ressort de la montre doit surmonter moins de résistance et se déplace plus vite. La montre avance donc.

SOLUTION 128

TEXTE CRYPTÉ

Le code Rail Fence (en anglais, palissade, également appelé code en dents de scie) fonctionne par transposition. Le texte est décomposé en deux segments obtenus en alternant les lettres du texte original. Ainsi la séquence ABCDEFGHIJ se décomposerait en ACEGI BDFHJ. Trouvez le point médian du texte et lisez les lettres à partir du début et du point médian. La citation est :

« Pour autant que les lois mathématiques se rapportent à la réalité, elles ne sont pas certaines, et pour autant qu'elles sont certaines, elles ne se rapportent pas à la réalité. »

Albert Einstein

SOLUTION 129

ATTRACTION GRAVITATIONNELLE

La Lune gravite autour du Soleil, tout comme la Terre. L'attraction gravitationnelle de la Terre est suffisante pour maintenir la Lune dans son orbite, mais cela ne change rien au fait qu'elle est toujours dans l'orbite du Soleil.

$$\frac{d\gamma}{d\beta} = \frac{d}{d\beta}\left(\frac{1}{(1-\beta^2)^{1/2}}\right) = \frac{-1}{2}(-2\beta)(1-\beta^2)^{-3/2} = \beta(1-\beta^2)^{-3/2} \therefore F = m_0\left[\gamma\frac{dv}{dt} + v\frac{d\gamma}{dt}\right]$$

SOLUTION 130

SÉRIE

La lettre suivante est E. La série est composée de la deuxième lettre des nombres entiers en ordre ascendant : uN, dEux, tRois, qUatre, cInq, sIx, puis sEpt.

SOLUTION 131

L'ÉNIGME DU SPHINX

La réponse est l'être humain : il rampe à quatre pattes quand il est bébé, marche sur ses deux jambes à l'âge adulte et se soutient d'une canne dans son grand âge.

SOLUTION 132

MYSTÈRE DU PILOTE

Les balles sortent du canon de l'arme à très haute vitesse, mais ne la conservent pas. Tirée en vol, une balle voit sa vitesse horizontale décroître progressivement jusqu'à une vitesse nulle, même si sa vitesse vers le bas augmente. Un aéroplane à cockpit ouvert, volant à 90 km/h, peut aisément se trouver à une vitesse équivalente à celle de la balle à un point de sa trajectoire ; donc, du point de vue du pilote, elle semblerait pratiquement immobile.

SOLUTION 133

L'EXPÉRIENCE DU BALLON

De façon assez étonnante, le ballon flottera vers l'avant. L'inertie pousse tout vers l'arrière quand la voiture accélère, et cela inclut l'air. La pression de l'air augmente à l'arrière de la voiture et c'est ce qui fait flotter le ballon vers l'avant, pas son poids.

SOLUTION 134

CRU OU CUIT ?

Essayez de le faire tourner. Un œuf cru tournera à peine, à moins d'y mettre beaucoup d'énergie. Un œuf cuit tournera facilement et s'il est cuit dur, il tournera vigoureusement.